Um mês para viver

Um mês para viver

Trinta dias para uma vida sem arrependimentos

KERRY e CHRIS SHOOK

Traduzido por Emirson Justino

MUNDO CRISTÃO

Publicado originalmente por WaterBrook Press, uma divisão da Random House, Inc., Colorado, EUA.

Os textos bíblicos foram extraídos da *Nova Versão Transformadora* (NVT), da Tyndale House Foundation.

CIP-Brasil. Catalogação na publicação
Sindicato Nacional dos Editores de Livros, RJ

S561m

Shook, Kerry
Um mês para viver : trinta dias para uma vida sem arrependimentos / Kerry Shook, Chris Shook ; tradução Emirson Justino. - 1. ed. - São Paulo : Mundo Cristão, 2023.

Tradução de: One month to live
ISBN 978-65-5988-225-0

1. Vida cristã. 2. Prática cristã. I. Shook, Chris. II. Justino, Emirson. III. Título.

23-84420 CDD: 248.4
CDU: 2-584

Gabriela Faray Ferreira Lopes - Bibliotecária - CRB-7/6643

Edição
Denis Timm

Revisão
Ana Luiza Ferreira

Produção
Felipe Marques

Diagramação
Marina Timm

Capa
Rafael Brum

Categoria: Inspiração
1ª edição: setembro de 2008
Reedição: julho de 2023

Publicado no Brasil com todos os direitos reservados por:

Editora Mundo Cristão
Rua Antônio Carlos Tacconi, 69
São Paulo, SP, Brasil
CEP 04810-020
Telefone: (11) 2127-4147
www.mundocristao.com.br

Para Ryan, Josh, Megan e Steven

Enquanto educávamos vocês,
de muitas maneiras também fomos educados por vocês.
Oramos para que sempre vivam sem arrependimentos.

Sumário

PRINCÍPIO 2 — AMAR COMPLETAMENTE

PRINCÍPIO 3 — APRENDER HUMILDEMENTE

Prefácio

Devo admitir que não há nada mais útil para definir as prioridades na vida de alguém que a descoberta de que está prestes a morrer. Muitos de nós perceberíamos de repente que passamos a vida fazendo coisas de pouca importância. De fato, muitas pessoas desperdiçam a vida pensando em "quando" e "então", acreditando que "quando" isso ou aquilo acontecer, "então" realmente começarão a viver e a fazer alguma coisa importante para Deus.

Se alguém adota essa atitude, é garantia de arrependimentos. Quando seus dias acabarem, a única coisa que vai realmente importar é se você realizou o propósito de Deus para sua vida. Jesus tinha apenas doze anos quando disse que devia fazer as coisas do Pai Celeste (Lc 2.49). Vinte e um anos depois ele pôde dizer ao Pai: "Eu te glorifiquei aqui na terra, completando a obra que me deste para realizar" (Jo 17.4). Se todos nós tivéssemos esse tipo de visão e prioridade em nossa própria vida, seria impossível imaginar o que Deus poderia realizar no mundo!

Ter medo de morrer é algo que paralisa a maioria das pessoas, impedindo-as de assumir os riscos necessários para cumprir o plano de Deus para sua vida. Kerry e Chris Shook querem que você se aposse de uma ideia maravilhosa: abraçar sua mortalidade vai libertá-lo para ter uma vida significativa e realizada, sem arrependimentos. Assim como fez com a rainha Ester, Deus coloca cada um de nós no mundo "para uma ocasião como esta" (Et 4.14). *Um mês para viver* apresenta uma excelente maneira de descobrir a vida abundante, alegre e cheia de propósito para a qual Deus o criou e a qual deseja vê-lo desfrutar!

Rick Warren
Pastor fundador da Igreja de Saddleback
Autor do best-seller *Uma vida com propósitos*

Uma palavra dos autores

Se você tivesse apenas um mês para viver, o que mudaria?

Este livro é singular em muitos aspectos. O mais importante, como o título e a pergunta acima demonstram, é que não temos medo de fazer perguntas difíceis. Este livro — nosso primeiro, que esperamos mais de dez anos para escrever — traz em suas páginas a mensagem vital à qual temos nos dedicado: como experimentar a vida em toda a sua plenitude, de modo apaixonado e com propósitos, isto é, da maneira como fomos criados para viver. A partir do momento em que aceitamos o fato de que nosso tempo na terra é limitado, podemos viver livremente, sem mais postergar a alegria e a paz advindas do cumprimento do propósito que nos foi concedido por Deus. A não ser que não pretenda mudar nada em sua vida, esperamos ansiosamente explorar com você o que significa experimentar o estilo de vida de um mês para viver.

Outra singularidade é a maneira como escrevemos este livro. Nós dois, Kerry e Chris, consideramos que nossa vida e nosso ministério são realizados em parceria. Casados há mais de trinta anos e ministrando juntos o tempo todo, de fato funcionamos melhor como equipe. À medida que lutamos e nos esforçamos, que crescemos e nos alegramos, temos vivido a mensagem contida nestas páginas. Portanto, cerca de metade das experiências e ideias que compartilhamos aqui vem de Kerry, e a outra metade vem de Chris.

Por questão de fluência na leitura, porém, o livro foi todo escrito em primeira pessoa. Isso evita aquela confusão entre "eu" (Kerry) e "eu" (Chris), eliminando um desvio desnecessário da mensagem principal que queremos compartilhar. Ao fundir nossas vozes em uma, também queremos enfatizar que nossa mensagem transcende qualquer aspecto pessoal. Ela afeta tanto homens quanto mulheres, solteiros e casados, ricos e pobres, bem como pessoas de todas as culturas do mundo.

Independentemente de onde o leitor possa estar na estrada da vida, queremos convidá-lo a virar a página e começar a responder à pergunta que mudará para sempre a maneira como vive.

Kerry e Chris

Um mês para viver

DESAFIO

Com a ajuda de Deus, prometo viver os
próximos trinta dias como se fossem os últimos,
de modo a viver a vida em sua plenitude!

____

Nome

____

Nome de seu parceiro

Kerry & Chris Shook

Kerry e Chris Shook

Assuma com um amigo o desafio de
um mês para viver.

Dia 1

Introdução

Vivendo o traço

A morte é mais universal que a vida; todo mundo morre, mas nem todo mundo vive.

Alan Sachs

Estou convencido de que o medo de morrer, de nossa vida chegar ao fim, não tira tanto nosso sono quanto o medo... que atinge a todos de que talvez não tenhamos vivido.

Harold Kushner

Seu tempo na terra é limitado.

Por mais que essa ideia o perturbe, isso é um fato. Não importa quem você é, qual sua idade, qual o grau de seu sucesso ou onde vive: a mortalidade continua sendo o grande nivelador. A cada tique-taque do relógio, um momento da vida fica para trás. Mesmo enquanto lê este parágrafo, os segundos que passam nunca mais serão recuperados. Seus dias estão contados, e cada um que passa vai embora para sempre.

Se você for como eu, talvez se sinta tentado a considerar essa realidade como algo difícil e inoportuno, algo que tem o poder de nos vencer e paralisar. Mas esse não é meu propósito ao escrever este livro — aliás, é exatamente o oposto. Estou convencido de que, em vez de nos inibir e forçar a viver na defensiva, *o fato de aceitar que nosso tempo na terra é limitado tem o incrível poder de nos libertar*. Se soubéssemos que teríamos apenas um mês para viver, viveríamos de maneira diferente. Seríamos mais autênticos e teríamos mais ousadia na forma como gastamos o tempo. Mas essa reação contraditória levanta uma questão: *o que nos impede de viver dessa maneira agora?*

Minha motivação para encontrar a resposta — e, melhor ainda, para vivê-la e ajudar você a vivê-la — nasceu da experiência no ministério. Nessa função, tenho tido o privilégio de passar algum tempo com pessoas próximas do fim da vida. Enquanto várias delas lutam com os diferentes estágios da agonia da morte — choque, negação, barganha, culpa, raiva, depressão, aceitação —, a maioria faz mudanças radicais quando descobre sua condição terminal. Dão-se o direito de dizer o que de fato sentem e de fazer aquilo que realmente querem. Pedem perdão e perdoam. Não pensam mais apenas em si mesmas, mas procuram aqueles que amam e lhes dizem quanto realmente significam. Assumem riscos que jamais correriam antes e deixam as preocupações de lado, aceitando com gratidão cada novo dia. Parece que adquirem uma nova percepção em relação às prioridades, como o relacionamento com Deus e o propósito de deixar legados que perdurem.

Depois de anos vendo pessoas viverem seus últimos dias, passei a me perguntar: "Por que também não vivemos como se estivéssemos morrendo? Não é assim que deveríamos de fato viver? Descobrir para o que fomos criados e utilizar nossos talentos pessoais no tempo limitado que nos foi concedido?". Assim, durante um retiro da liderança, realizei um pequeno teste e fiz aos membros da equipe a seguinte pergunta: "Se você soubesse que tem apenas um mês para viver, o que mudaria?". Entreguei uma agenda a cada um e os desafiei a viver os trinta dias seguintes como se fossem os últimos, pedindo que tomassem nota do que havia acontecido.

Os resultados foram nada menos que transformação da vida de cada um! No final dos trinta dias, todos nós havíamos desenvolvido maior clareza de propósitos e paixão renovada pelo que é de fato importante. Algumas pessoas fizeram coisas realmente notáveis, que marcam uma vida, como passar as férias dos sonhos no Havaí com o cônjuge, levar a sério um estilo de vida saudável e perder dez quilos, e reconciliar-se com o pai ou a mãe depois de muitos anos de distanciamento.

Para mim, naquele primeiro momento, as pequenas coisas do dia a dia assumiram um significado completamente novo e mudaram minha vida para sempre. Levar meus dois filhos menores para a escola todos os dias tornou-se uma alegria real. Passei a ter uma compreensão clara de quão significativas eram as manhãs em que brincava de perguntas e respostas com Steven e inventava canções malucas com Megan, minha filha adolescente na época. Firmei o propósito de uma vez por semana, depois da aula, ir com meus filhos mais velhos, Ryan e Josh, ao restaurante favorito deles, só para bater papo. Muitos dos membros de nossa liderança fizeram de tudo para comparecer aos jogos dos filhos, aos recitais e a outros eventos da escola. Ao mesmo tempo, percebi que a equipe ficou mais produtiva que nunca, e todos queriam que as coisas que realizavam no trabalho produzissem impacto duradouro.

A partir disso, passei a acreditar que o estilo de vida de um mês para viver é universal em princípios, mas singular em sua expressão. Se todos nós vivêssemos como se tivéssemos apenas mais um mês neste mundo, passaríamos nossos dias de maneira diferente, de forma singular para nós e, ainda assim, acredito que todos experimentaríamos uma vida mais plena que poderia deixar um legado para a eternidade.

NOSSO PEQUENO TRAÇO

Talvez nenhum lugar represente melhor a eternidade que um cemitério. Não é surpresa que eu seja fascinado por velhas lápides e pela vida que elas representam. As datas gravadas em alguns dos antigos monumentos e placas de sepulturas que há na região de Houston, onde vivo, datam do século XIX. Minha imaginação me leva às várias histórias que as lápides contam. Fico pensando em como era a vida em 1823 ou 1914. Sei que as pessoas daqueles tempos tinham os mesmos problemas e dores que qualquer um tem na vida, mas fico pensando se elas se sentiam tão estressadas e pressionadas como eu. A tecnologia e os recursos modernos revolucionaram a vida no século XXI, mas a que custo?

Olhando para as velhas lápides, não posso deixar de reconhecer que vidas inteiras estão agora diante de mim, reduzidas a duas datas ligadas por um pequeno traço. Algumas placas incluem fatos ou citações, versículos bíblicos ou lembranças tocantes, mas a vida de cada pessoa consistiu na verdade naquilo que aconteceu entre aquelas duas datas. Resume-se ao que abrange o traço. Olho para o traço da lápide de uma pessoa em particular e penso: "Pelo que ela viveu? Quem ela amou? Quais foram suas paixões? Quais foram seus maiores erros e principais arrependimentos?".

Quando paramos para pensar, vemos que não temos controle sobre muitas coisas na vida. Não decidimos onde iríamos nascer, quem seriam nossos pais ou em qual cultura ou período histórico viveríamos. Tampouco decidimos as datas colocadas em nossa lápide. Não sabemos quando nosso tempo aqui acabará. Pode ser na semana que vem, no próximo ano ou daqui a muitas décadas. Somente Deus sabe. Nossa vida está nas mãos dele, mas há uma coisa sobre a qual temos bastante controle. Precisamos decidir como vamos usar nosso traço.

Você tem de decidir como gastar o pequeno traço de tempo entre as duas datas que limitam sua existência terrena. Em que você está gastando o seu? Está vivendo o traço sabendo exatamente quem é e por que está aqui? Ou está simplesmente lutando para viver, gastando apressadamente preciosos momentos em busca de coisas que realmente não são importantes? O salmista orou assim: "Ajuda-nos a entender como a vida é breve, para que vivamos com sabedoria" (Sl 90.12). Deus quer que percebamos que nosso tempo na terra é limitado, de modo que o gastemos de maneira sábia. Mas ele nos dá a capacidade de escolher como gastar essa moeda tão valiosa.

NENHUMA MUDANÇA É EXIGIDA

Embora muitas pessoas que enfrentam a morte façam mudanças radicais para morrerem bem, de vez em quando encontro uma que muda muito pouco. Isso não quer dizer que pessoas assim não estejam dispostas a mudar. É que viveram de maneira tão livre e autêntica que a notícia do final iminente da vida não vira seu mundo de cabeça para baixo. Naturalmente, elas lamentam e sofrem quando recebem a notícia. Elas se entristecem por causa da família e das pessoas que amam. Mas sentem conforto por saber que viveram concentradas naquilo com que mais se importam: seu relacionamento com aqueles que amam, seu relacionamento com o Deus do universo e o cumprimento de seu propósito singular neste mundo.

Não seria maravilhoso viver de tal maneira que, diante da notícia de que só lhe resta um mês de vida, não fosse preciso mudar nada? O que o impede de viver assim? O que você está esperando? Em vários trechos das Escrituras, Deus nos lembra de que a vida é curta quando comparada com a eternidade. "Como sabem o que será de sua vida amanhã? A vida é como a névoa ao amanhecer: aparece por um pouco e logo se dissipa" (Tg 4.14).

É claro que não estou incentivando você a viver simplesmente o hoje. A maioria não pode dar-se ao luxo de largar o emprego do dia para a noite, dizer o tempo todo o que realmente está sentindo ou agir de acordo com toda ideia espontânea que venha à cabeça. Esse estilo de vida seria egoísta e altamente irresponsável, podendo indicar que tal pessoa não acredita que exista alguma coisa além do que vemos aqui. Mesmo assim, precisamos lembrar que a vida é mais que aquilo que conhecemos na terra. Embora estejamos envolvidos com o presente, devemos pensar no impacto eterno provocado pela maneira como vivemos. A Bíblia diz que Deus colocou a eternidade em nosso coração (Ec 3.11). Ele nos criou a sua imagem como seres espirituais, mas com corpos carnais. Se formos verdadeiramente honestos, perceberemos que deve haver mais para nossa existência do que este mundo pode oferecer.

É nesse ponto que muitas pessoas se voltam para a fé. Mas assim como alguns vivem como se não houvesse amanhã, outros usam a fé para viver como se não houvesse hoje. Estão sempre pensando "naquele dia" no céu, em vez de se envolver plenamente na vida hoje.

A única maneira de viver para a eternidade é abraçar cada dia como um presente de Deus. Devemos viver no pequeno ponto entre o cotidiano e o eterno. Ele nos criou e nos deu mais um dia para viver — para conhecer e experimentar seu amor, para servir aos que estão ao nosso redor, para viver apaixonadamente a vida para a qual ele nos criou. A transitoriedade desta vida deveria manter nosso foco naquilo que é mais importante.

O DESAFIO DOS TRINTA DIAS

Seja completamente honesto consigo mesmo. *Seu tempo na terra é limitado. Não seria melhor começar a fazer o melhor uso dele?* Se você soubesse que tem um mês para viver, olharia para tudo a partir de uma perspectiva diferente. Muitas coisas que faz agora, coisas que parecem muito importantes, perderiam imediatamente o sentido. Você veria com total clareza o que de fato importa e não hesitaria em ser espontâneo, abrindo seu coração. Não deixaria para amanhã o que precisa ser feito hoje. O modo como viveria esse mês seria a maneira como desejaria ter vivido a vida toda.

Se você soubesse que tem apenas um mês para viver, sua vida seria radicalmente transformada. Mas por que esperar até receber um diagnóstico de câncer ou perder um ente querido para aceitar essa verdade e permitir que ela o liberte? Não queremos tudo o que a vida tem a oferecer? Não queremos cumprir o propósito para o qual fomos criados? A vida não seria muito mais satisfatória se vivêssemos dessa maneira?

Desafio você a começar a viver como se tivesse apenas um mês de vida, e escrevemos este livro para ajudá-lo. Existem quatro princípios universais no estilo de vida de um mês para viver: viver apaixonadamente, amar completamente, aprender humildemente e partir corajosamente. Seguindo esse esquema, dividi o livro em quatro seções ou "semanas" e incentivo você a viver os próximos trinta dias como se fossem os últimos. Para cada dia há um capítulo que vai ajudá-lo a concentrar-se no princípio da semana.

Cada capítulo contém dois destaques para inspirar sua experiência de trinta dias para viver. Em cada capítulo, há um quadro intitulado "Vale a pena refletir", com perguntas desenvolvidas para ajudá-lo a examinar sua vida e concentrar-se naquilo que é mais importante. Outro destaque, chamado "Para a vida toda", aparece no final de cada capítulo e oferece maneiras de agir de acordo com o tema do dia. Esses pontos práticos não exigem que você faça lições de casa, mas o inspiram a criar trabalhos de vida, maneiras pelas quais você personaliza o material, aplicando-o a si mesmo. Talvez queira reservar um tempo para pensar mais a respeito desses itens, para escrever um diário sobre cada ponto e orar por eles. Se você estiver lendo este livro em um grupo, será uma ótima oportunidade de discussão.

Independentemente do uso que fizer deste livro, minha esperança e oração é que você pense seriamente naquilo que mais deseja extrair da vida e no que o impede de alcançá-lo. Espero que aceite o fato de que algum dia sua vida chegará ao fim e, tendo isso em mente, comece a viver cada dia de maneira plena.

Não é preciso passar por uma crise para avaliar como viver plenamente. Se você está disposto a assumir esse desafio de trinta dias, esteja preparado para uma mudança radical em sua vida. Você pode viver sem arrependimentos e de forma tão abundante que se perguntará como pôde contentar-se com menos que isso.

Não há nenhum momento como o presente — o agora! — para começar. Ler este livro leva tempo, seu bem mais precioso, e prometo que nenhum segundo que dedicar à leitura de suas páginas será desperdício. À medida que você descobrir a vida para a qual foi criado, hoje pode ser realmente o primeiro dia de uma vida sem arrependimentos. Declare que hoje é o começo de um mês que certamente mudará sua vida!

PARA A VIDA TODA

1. O mais rápido possível, sem pensar muito, faça uma lista com cinco itens que mudaria na vida se soubesse que tem apenas um mês para viver. Escolha pelo menos uma para começar a mudar hoje, neste exato momento.
2. Descreva em que aspectos gostaria que sua vida fosse diferente no final da leitura deste livro. O que o levou a abrir este livro? O que está acontecendo em sua vida agora que o levou a pensar em quem você é e por que está aqui?
3. Diga a pelo menos uma pessoa — um amigo, um familiar ou um colega de trabalho — que você está lendo este livro. Peça que essa pessoa anote em sua agenda o compromisso de, dentro de um mês, contando a partir de hoje, perguntar a você de que maneira sua vida mudou.

PRINCÍPIO 1

Viver apaixonadamente

Dia 2

Montanha-russa

Assumindo riscos

A vida não é medida pelo número de vezes que respiramos, mas pelos momentos que tiram nosso fôlego.

Anônimo

Alguém deveria nos dizer, logo no início da vida, que estamos morrendo. A partir daí, deveríamos viver intensamente cada minuto de cada dia. Faça isso, eu lhe digo! Tudo o que quiser fazer, faça agora! Existem apenas poucos amanhãs.

Giovanni Montini

Em minha infância, eu gostava muito de ir ao parque de diversões de Spring Lake no verão — o cheiro de algodão-doce, as grandes barracas de jogos e seus prêmios, a roda-gigante e os carrinhos de bate-bate. Mas a razão principal de eu gostar tanto daquele lugar era a montanha-russa. Até hoje, a montanha-russa do parque, chamada de *Big Dipper*, continua sendo a montanha-russa mais assustadora em que já andei!

Eu me considero um razoável conhecedor de montanhas-russas; já andei numa dezena delas, e classifico a maioria em duas categorias: "modelo da velha escola" e "proeza da engenharia moderna". Com certeza gosto muito das montanhas-russas que impressionam com seus fortes trilhos de aço, usando as mais modernas técnicas da engenharia. Elas sobem a grandes alturas, alcançam velocidades de quebrar o pescoço na descida, fazem *loops*, giram como um saca-rolhas e nos deixam de cabeça para baixo. Meus filhos são loucos por elas, e nos divertimos muito nelas.

A *Big Dipper*, porém, era definitivamente da velha escola e não tinha nenhuma das características de suas equivalentes modernas. Era uma daquelas antigas e tradicionais montanhas-russas de madeira, com trilhos de sarrafo, apoiados sobre frágeis andaimes, pintura descascada e madeira cheia de rachaduras. Não importava quão acostumado se estivesse com outras montanhas-russas: a *Big Dipper* garantia uma boa dose de adrenalina a cada volta.

Assim que eu e outros loucos por emoção entrávamos no carrinho e saíamos da estação, era possível sentir o coração acelerar. Subíamos a primeira elevação — *clique, clique, clique, clique* — até chegar ao topo, onde o carro praticamente parava. Ali, eu pensava: "Será que quebrou? Alguém vem tirar a gente daqui? O que vai acontecer?". Então, *BUM!* O chão desaparecia, o carrinho parecia decolar, meu estômago subia até a garganta. Era preciso fechar os olhos e a boca para não deixar que os insetos entrassem!

Agarrava-me à barra de segurança, morto de medo, sentindo-me alegre, agitado e apavorado — tudo ao mesmo tempo. Passávamos pela primeira curva e as rodas de um lado chegavam realmente a sair um pouco do trilho. Do outro lado elas gemiam ao mesmo tempo em que fagulhas voavam. Assim que eu me recuperava, *BUM!* Outro mergulho e outra curva fechada. Levantava as mãos para impressionar meus amigos, mas, para ser sincero, eu estava mesmo era morto de medo!

Mesmo se tivesse andado naquela montanha-russa alguns dias antes, sempre me sentia ansioso em relação ao que vinha pela frente. As curvas chegavam rapidamente ao mesmo tempo em que meu coração disparava e minhas mãos suavam sobre a pequena barra de segurança. Finalmente, entrávamos num túnel tão escuro que mal se podia ver o carrinho da frente; então, saíamos para outra curva e *CRRIIIINCH!* — parávamos na estação.

Uma típica experiência de montanha-russa, não é? Contudo, a diferença da *Big Dipper*, a característica singular que a distinguia das outras, era sua idade e a visível falta de manutenção. Sua aparência era tão ruim que alguns de meus amigos não se arriscavam a andar nela. Qualquer um podia dizer, só de olhar — quanto mais depois de andar —, que era apenas uma questão de tempo até que alguém saísse voando do carrinho. Já havia muitos anos que não era fiscalizada! Meus amigos e eu não tínhamos ideia se estaríamos naquela montanha-russa quando um acidente acontecesse, mas definitivamente sabíamos que um dia haveria problemas. De fato, anos mais tarde soube por um amigo que, durante uma volta, o assento vago ao lado dele literalmente voou do carrinho na primeira curva!

Vale a pena refletir

Você vê sua vida como uma viagem segura ou como um passeio na velha montanha-russa? Quais áreas de sua vida são mais seguras? Talvez, por exemplo, você assuma enormes riscos para avançar na carreira profissional, mas superprotege seu coração e se arrisca pouco nos relacionamentos.

SÍNDROME DO ALGUM DIA

À medida que avanço na meia-idade, convenço-me de que o passeio em minha montanha-russa favorita serve de analogia para a maneira como fomos feitos para viver. Tanto no passeio quanto na vida, parece que tudo termina logo depois de começar. Você sabe que a diversão vai acabar em algum momento, mas tudo passa muito rápido. Parece que, quanto mais você dá voltas, mais rápido tudo acontece. Os dois passeios são desconcertantes, desorientadores e divertidos.

Assim como o passeio na montanha-russa é rápido como um raio, nossa vida nesta terra é temporal e finita. Trata-se de uma parte natural da experiência do ser humano: nascemos e, no final de tudo, nosso corpo vai morrer. Em vez de achar isso depressivo ou desestimulante, você pode ser verdadeiramente livre se estiver disposto a enfrentar e assimilar essa verdade sobre a vida: ela vai acabar, pelo menos na forma como a conhecemos aqui. Em vez de nos limitar, nossa mortalidade pode servir para nos lembrar de ser tudo o que fomos criados para ser.

É comum sermos tentados a ficar na zona de conforto e nos acomodar com menos do que fomos criados para ser. Conheço muitas pessoas cujo dia favorito da semana é "algum dia". Um número incalculável de pessoas, independentemente do estágio da vida em que se encontra, costuma dizer: "Algum dia vou buscar tudo o que a vida tem a oferecer". "Quando me aposentar, então vou aproveitar a vida". "Algum dia vou realmente viver para Deus, serei mais organizado e passarei a amar mais minha família". "Quando ganhar dinheiro suficiente, então passarei mais tempo com meus filhos". "Algum dia, quando houver espaço em minha agenda, então me envolverei mais com a igreja". "Quando tiver mais tempo, vou tentar ser mais espiritual".

Algum dia. Um dia. Quando. Se. Então, tudo acaba. Quando vamos acordar e perceber que *esta é a vida*?

Esta é sua vida, aqui e agora. Esteja onde estiver enquanto lê este livro, sentindo o que estiver sentindo, enfrentando o que estiver enfrentando, *algum dia é exatamente agora*. Sempre seremos tentados a nos valer da síndrome do algum dia, mas essa mentalidade rouba algo de nós. Algum dia, quando acontecer aquilo que estamos buscando, então começaremos a viver. Algum dia, quando tudo se acalmar, então vamos desfrutar a vida. *Mas as coisas não vão se acalmar.* Assim que obtivermos aquilo que queremos — mais dinheiro, uma agenda menos sobrecarregada, o emprego ideal —, logo perceberemos que isso não nos satisfaz, e então começaremos a procurar a próxima grande conquista.

Deus não planejou que ficássemos simplesmente à margem de tudo, vendo a vida passar enquanto imaginamos a razão de não estarmos mais satisfeitos. Deus nos criou para assumir riscos pela fé e para vencer os gigantes que nos paralisam de medo.

Devemos ser como aquele adolescente que deu um passo à frente para desafiar Golias numa luta de vida ou morte. Apesar dos milhares de homens do exército israelita, Davi foi o único a ter coragem de enfrentar o gigante. O rei Saul deveria ser o escolhido para lutar contra o herói filisteu, mas muito tempo atrás ele havia deixado de seguir a Deus, ficando totalmente distante. Agora estava na zona de conforto. Saul disse a Davi: "Você não conseguirá lutar contra esse filisteu e vencer! É apenas um rapaz, e ele é guerreiro desde a juventude" (1Sm 17.33).

Ao pensar nisso por um instante, é fácil perceber que Saul estava certo em sua avaliação. O que Davi queria fazer parecia ridículo! Se estivesse ali, você teria dito a mesma coisa: "Davi, não seja ridículo. Seja razoável. Ele vai fazer picadinho de você". Saul e o exército de Israel estavam agindo com base na razão; Davi estava agindo com base na fé. Quando você age pela razão, tudo o que consegue enxergar é o tamanho dos gigantes. Se estiver agindo pela fé, tudo o que consegue ver é como os gigantes são pequenos se comparados com Deus.

O que diferenciou Davi dos milhares que estavam ali naquele dia foi uma fé ridícula. Deixe-me humildemente sugerir que a única maneira de derrotar os gigantes que se colocam entre você e a vida para a qual foi criado é a "fé ridícula". Saul e o exército de Israel olhavam para a vida tendo o chão como referencial. Quando você olha para a vida a partir do chão, os gigantes preenchem o cenário todo. Davi, em contrapartida, olhava para a vida da perspectiva de Deus. E quando se olha da perspectiva dele, os gigantes tornam-se realmente pequenos. Quando olho para a vida a partir da perspectiva de Deus, começo a entender que a vida de fé — que todas as outras pessoas chamam de ridícula — é a única maneira razoável de viver.

O mundo diz: "Não seja ridículo; seja razoável. Não se imponha. Não corra riscos; aja com segurança e faça da segurança e do conforto os principais objetivos na vida". Deus nos chama para uma vida de fé, vivendo cada momento para ele. Deus não nos criou para que andássemos nas montanhas-russas menores, para crianças pequenas — como havia em Spring Lake; eram brinquedos pequenos que andavam bem devagar e mal alteravam seus batimentos cardíacos. Ele nos prometeu uma vida abundante se entrarmos no carrinho que leva à grande aventura que ele planejou para nós. Esta vida de fé ridícula é, em cada detalhe, tão estimulante quanto andar na *Big Dipper*!

Vale a pena refletir

Neste exato momento você está fazendo alguma coisa na vida que exige fé? Se não está, por que não? Está olhando para a vida a partir da perspectiva de Deus ou da perspectiva do chão?

Deus determinou a trilha para você com orientações muito claras, e promete ser o supremo engenheiro. Ele quer que você entre no carro e permita que o leve a lugares que você nunca imaginou ser possível ir. Às vezes, ele corre numa velocidade de quebrar o pescoço, de modo que você perde o fôlego e se segura em alguma coisa porque está simplesmente apavorado. Mesmo assim, você se sente alegre, satisfeito e morto de medo — tudo ao mesmo tempo. Isso é a vida.

A vida é imprevisível; você nunca sabe o que virá a seguir. Às vezes você faz curvas muito fechadas e acha que as rodas se soltarão, mas Deus é um motorista experiente. Ele sabe exatamente aonde está indo e tem o controle total quando você sente medo. Às vezes, você passa por túneis escuros onde não consegue enxergar um palmo diante do nariz, mas é aí que sente a forte mão dele sobre seu ombro. Logo, porém, você chega à estação e o passeio acaba. É como se o curso da vida tivesse apenas começado e, então, logo termina! Se você fez o compromisso de seguir a Jesus, porém, o passeio continua; Deus o leva com ele para o céu por toda a eternidade.

Talvez isso pareça muito longe do ponto onde você se encontra neste exato momento. Por causa das circunstâncias da vida, talvez se sinta como alguém que já pulou da montanha-russa e quebrou a cara no chão. Porém, por mais difícil e assustadora que sua vida possa ser agora, Deus ainda está presente. Ele se preocupa com você além do que se possa entender ou imaginar. Se soubesse que tem apenas um mês para viver, você não deixaria a zona de conforto para trás e iniciaria o passeio que acelera seu coração? Você não gostaria de participar de um passeio que trouxesse satisfação — com alegria, com medo, com um nível de envolvimento que lhe permitiria saborear cada momento? Se você soubesse que tem apenas algumas semanas de vida, não creio que seria capaz de cultivar a síndrome do algum dia.

Quero desafiá-lo hoje a enfrentar seus medos com a fé ridícula e, assim, realizar o passeio de sua vida!

PARA A VIDA TODA

1. Se tivesse certeza de que a vida como você conhece terminaria em algumas semanas, qual seria seu maior arrependimento? Por quê?
2. Em quais áreas da vida está sofrendo da síndrome do algum dia? Tome hoje a decisão de nunca mais usar a frase "algum dia, quando as coisas se acalmarem". Conscientize-se de que hoje é seu "algum dia"!
3. Em vez de montanha-russa, que outro símbolo ou metáfora você escolheria para descrever sua vida caso estivesse plenamente envolvido nela? Tente inventar algo tão singular quanto você. Encontre uma ilustração desse símbolo, coloque-a num lugar onde possa vê-la todo dia e use-a como lembrete para viver sem arrependimentos.

Dia 3

Espremido pelo tempo

Gastando seu recurso mais valioso

Não quero chegar ao fim da vida e descobrir que vivi toda sua extensão. Quero ter vivido também sua largura.

Diane Ackerman

Cuide muito bem de seu tempo livre. Esses momentos são como diamantes não lapidados. Despreze-os, e seu valor nunca será conhecido. Melhore-os, e eles se tornarão as mais brilhantes joias de uma vida útil.

Ralph Waldo Emerson

Ouvi falar de um homem que foi ao médico para pegar os resultados de seu *check-up* anual. O médico o recebeu e disse:

— Sinto muito, Bob. Tenho más notícias. Os exames indicam que você tem uma doença terminal. Você tem apenas seis meses de vida.

Depois de assimilar a notícia, Bob perguntou:

— Há alguma coisa que eu possa fazer, alguma droga ou tratamento em teste? Deve haver algo que eu possa tentar.

O médico pensou por um momento e disse:

— Sim, existe uma coisa. Você pode mudar-se para o interior, comprar um sítio e criar porcos. Aí pode conhecer uma viúva com quatorze ou quinze filhos, casar-se com ela e levar todos para viver com você no sítio.

Bob olhou confuso para o médico e disse:

— Isso vai me ajudar a viver mais?

O médico disse:

— Não, mas esses serão os seis meses mais longos de sua vida!

Você pode até rir dessa piada infame, mas acho que ela ilustra um princípio vital aplicável a nossa relação com o tempo. Pode ser que, para você, os últimos seis meses pareçam muito longos por não ter energia nem paixão suficientes pela vida. Talvez esteja simplesmente desinteressado, indiferente e descontente, questionando se é apenas isso o que a vida tem a oferecer.

Muitas pessoas já passaram por períodos na vida em que o tempo parece arrastar-se. Olhamos para o relógio, desejando que os segundos passem mais rápido. Em contrapartida, você com certeza se lembra de períodos em que as horas voaram. Pense naquelas ocasiões em que perdeu a noção do tempo e se sentiu totalmente envolvido pelo momento, imerso na atividade que estava realizando ou feliz por desfrutar a companhia daquelas pessoas. O que diferencia os dois momentos? Por que alguns dias parecem muito mais significativos que outros? Como podemos envolver-nos plenamente com o presente sem nos deixar prender pelo passado ou ficar paralisados diante do futuro?

Para responder a essas perguntas, avalie como você veria o tempo se soubesse que seu último dia de vida está apenas algumas páginas à frente em sua agenda. Se soubesse que tem apenas um mês para viver, certamente os minutos, as horas e os dias restantes se tornariam um bem mais precioso. Tal como um bilionário que de repente descobre que ficou pobre e lhe sobraram apenas algumas notas, você logo deixaria de pensar que seu tempo é eterno e se concentraria na melhor maneira de gastar cada minuto. Desejaria que cada um desses momentos fosse rico em alegria, significado e investimento em outras pessoas.

ESPREMIDO PELO TEMPO

Se os dias fossem previamente numerados, a maioria das pessoas gastaria o tempo de forma zelosa e determinada. Não encontrei ninguém sabedor de seu fim iminente que quisesse assistir a reprises de programas de televisão ou ficar mais tempo organizando pastas do disco rígido do computador. Não estou dizendo que essas coisas sejam ruins. De fato, tarefas e responsabilidades corriqueiras são parte da vida diária. Mas se soubesse que tem apenas um mês para viver, suspeito que a maioria das pessoas entenderia com absoluta clareza como priorizar o tempo. Certamente as tarefas e as responsabilidades diárias precisam de atenção, mas até mesmo essas podem estar conectadas a objetivos maiores — falar com o cônjuge, ensinar os filhos ou ligar-se a Deus. O corriqueiro pode tornar-se magnífico se estivermos intimamente conectados a cada hora e pessoa a nosso redor.

É óbvio que as prioridades são determinantes para o modo como consideramos e gastamos o tempo. Todos temos o mesmo número de minutos no dia. Não há nada que você ou eu possamos fazer para aumentar a duração de um dia para 25 horas, quanto mais chegar às 30 ou 40 horas que almejamos para manter tudo dentro do cronograma. O fato é que estamos presos em 24 horas. O modo como você investe essas horas, porém, pode determinar a diferença entre o senso de realização — por saber que está fazendo exatamente aquilo para o que foi criado — e o de arrependimento. Se você quer viver sem arrependimentos, talvez seja necessário fazer um inventário de sua vida e observar como está gastando o tempo.

Melhor ainda: faça uma análise do tipo custo-benefício de seu tempo para descobrir se a maneira como passa seus dias produz o que deseja. Jack Groppel, notável consultor de muitos atletas profissionais, celebridades e executivos, diz que gerenciamento de tempo é, na verdade, gerenciamento de energia. Concordo plenamente. É possível multiplicar o tempo administrando o uso diário de energia. Se considerarmos que o tempo é um presente valioso a ser usado, haverá maior possibilidade de tentarmos, com grande motivação, otimizá-lo.

É quase como uma lei natural da física. Quando aumentamos a energia e o grau de envolvimento, multiplicamos o tempo. É por isso que alguém pode trabalhar dezoito horas por dia e ainda assim não ser eficiente. Provavelmente o excesso de horas será apenas prejudicial, porque a pessoa perde a criatividade e a saúde e, no fim das contas, acaba com um desgaste físico e emocional. É senso comum que o vício no trabalho tem raízes no mau gerenciamento da energia. Em muitos aspectos, isso se resume ao contraste entre quantidade de vida (quanto tempo você vai viver) e qualidade de vida (como você vai viver). Não se trata de aprender a adicionar anos à vida, mas de acrescentar vida aos anos.

Vale a pena refletir

O que mais consome seu tempo diariamente? Seja o mais específico possível em sua resposta. Muitos dizem que o trabalho consome a maior parte das horas do dia, mas faça uma subdivisão. O que exatamente consome seu tempo no trabalho? Que importância tem essa atividade? Quanto é satisfatória? Quanto tempo do dia você passa fazendo somente aquilo que faz melhor?

O TESTE DO TEMPO

Muitos de nós, incluindo eu, desperdiçamos muito tempo. Com que frequência usamos aquela palavra que começa com a letra "o"? *Somos realmente muito ocupados.* Você consegue lembrar a última vez que perguntou a uma amiga como ela estava e ouviu: "Muito bem. Está tudo tranquilo. Tenho tempo de sobra para fazer tudo o que quero e ainda consigo passar tempo de qualidade com minha família e meus amigos"? Todos nós trabalhamos muito. Temos boas intenções e aprendemos alguns hábitos e algumas técnicas de gerenciamento de tempo que trazem melhorias limitadas, mas todas deixam pouco espaço para os relacionamentos. Entramos na onda do sucesso, mas à medida que o ritmo vai aumentando, simplesmente não sabemos como parar.

O tempo desperdiçado não pode ser recuperado. Assim que uma hora, um minuto ou um momento tenham passado, eles se foram para sempre. Contudo, podemos redimir o tempo restante que temos. Podemos reconsiderar o propósito concedido por Deus e o legado eterno que queremos deixar e permitir que ambos determinem nossa agenda futura. Como podemos redirecionar o foco? A única maneira de você e eu conseguirmos extrair o máximo do tempo restante é gastar cada dia de maneira que deixemos atrás de nós um legado digno. Em sua carta à igreja de Corinto, Paulo escreveu: "Como cooperadores de Deus, suplicamos a vocês que não recebam em vão a graça de Deus" (2Co 6.1). Ele queria dizer: "Não desperdice seu tempo, porque o tempo é sua vida". Se desperdiçar seu tempo, estará desperdiçando sua vida. Para usarmos nosso tempo de modo que deixemos uma marca duradoura aqui, precisamos passar pelo teste da eficiência.

Richard Koch, autor do best-seller *O princípio 80/20*, fez um estudo com muitas empresas e indivíduos bem-sucedidos e chegou à seguinte conclusão: para a maioria das empresas, 20% da atividade produz 80% dos resultados. Assim, um total de 20% de sua atividade produz 80% de seus lucros. O mesmo princípio, segundo o autor, se aplica às pessoas, ou seja, 20% daquilo que se faz na vida produz 80% de resultados; 20% do que você faz com sua vida produz 80% de felicidade; 20% das pessoas com as quais você mantém contato produzem 80% de sua alegria nos relacionamentos.

Basicamente, 20% do que você faz produz a maior parte dos resultados em sua vida; 80% do que faz é, na maioria, tempo desperdiçado. Muitas pessoas, por exemplo, assistem à televisão demais.

Novos estudos mostram que passar mais de vinte horas por semana diante da televisão pode levar a uma depressão leve. Portanto, essa prática não é muito produtiva nem resulta em muita felicidade, o que a transforma em tempo desperdiçado. Se você passar mais tempo nas áreas que lhe trazem os melhores resultados e menos tempo em buscas ineficazes, realizará mais fazendo menos!

Vale a pena refletir

De maneira geral, você concorda com o princípio 80/20? Ele parece encaixar-se em sua vida e na maneira como você gasta o tempo? Quais atividades de sua vida você qualificaria como desperdício de tempo? O que o impede de gastar esse tempo com atividades mais significativas?

RELÓGIOS ETERNOS

Um dos maiores desafios é o que chamo de paradoxo da produtividade. Somos condicionados a acreditar que, para que o tempo seja proveitoso, devemos ter algo para mostrar. Então produzimos alguma coisa — outro relatório, um novo documento, um sistema melhor e um produto aperfeiçoado. Muitas pessoas que conheço sentem-se pressionadas a produzir — até mesmo durante as férias e o tempo livre! Elas não conseguem desfrutar um simples descanso à beira da piscina, fazer uma caminhada ou dormir até mais tarde simplesmente porque não têm nada para mostrar como resultado do tempo gasto dessa maneira.

O resultado, porém, é que todos nós precisamos de um pouco de tranquilidade para descansar e adorar, para nos colocar em silêncio diante de Deus, para pensar em nossa vida e ouvir a voz do Senhor. O paradoxo é que talvez não tenhamos nada para mostrar como resultado desses momentos realmente produtivos. Ocorre uma grande libertação quando se aprende a trabalhar sob a perspectiva eterna e não simplesmente de acordo com o relógio preso ao pulso. Um momento regular de descanso e recuperação — um sábado no sentido bíblico — é essencial em nossa programação. Precisamos estar sintonizados com uma noção de tempo maior do que simplesmente relógios e agendas.

Se soubesse que tem apenas um mês para viver, você não reservaria mais tempo para descansar depois de uma refeição com a família? Para sentir o delicioso aroma de uma xícara de café enquanto observa o nascer do dia pela janela da cozinha? Para torcer por seu filho no jogo da escola? Para ler um livro significativo, um poema ou uma passagem das Escrituras? Para caminhar num parque, ouvindo o canto dos pássaros?

Essas atividades não geram produto nem permitem que você alcance resultados, mas são essenciais para o bem-estar. Ouso dizer que boa parte de nossas lembranças mais preciosas advém de momentos espontâneos, quando estávamos prestando atenção ao presente. Fomos criados para algo mais do que o trabalho. Nosso valor é muito maior do que aquilo que fazemos.

Em suma, fomos planejados para desejar descanso e almejar beleza. Até mesmo o Criador descansou e guardou um sábado. Ninguém se imagina mais produtivo do que Deus; contudo, muitas vezes agimos como se não pudéssemos dar-nos o luxo de parar, fazer uma pausa, aquietar-nos e descansar a alma. Se nosso objetivo é gerenciar o tempo de maneira que ele seja maximizado, então precisamos viver de acordo com o relógio eterno, ouvindo Deus em nossa vida, prestando atenção ao corpo e ao coração.

Se você pretende pôr um fim à síndrome do "algum dia" de que já falamos, é preciso fazer com que o "algum dia" aconteça hoje, atentando para a maneira como você foi criado. Extraia o máximo de seu tempo aplicando energia às áreas que são prioridades constantes. Tenha em mente o legado que quer deixar — no trabalho que faz, nos relacionamentos que mantém e na maneira como passa cada dia. Não fomos planejados para ser escravos do tempo. Fomos criados para ser ativos e presentes na vida dos que estão a nosso redor. Aproveite o máximo de seu tempo produzindo um legado que durará muito além do tempo que vai viver aqui na terra. Faça isso hoje!

PARA A VIDA TODA

1. Ao longo desta semana, faça um diário e anote como você gasta cada dia. Tente atribuir um valor para sua produtividade (aquilo que realizou) e para seu grau de contentamento (como se sentiu a cada dia). Como qualificaria a relação custo-benefício da maneira como usa o tempo?
2. O que foi que mais desperdiçou seu tempo na semana passada? O que você ganhou com isso? Algo que o distraiu, entreteve, fez você evitar alguém? Existe alguma outra

maneira de usar seu tempo para gerar um impacto maior e mais significativo? Talvez você precise passar menos tempo diante da televisão e ler mais, ou, quem sabe, em vez de navegar na internet, pode sair para caminhar ou fazer exercícios. Crie uma pequena lista de atividades alternativas para fazer na próxima vez em que for tentado, por hábito, a desperdiçar seu tempo.

3. Como descreveria a fase atual de sua vida? Você se sente soterrado sob terras gélidas, hibernando no aspecto emocional? Ou o cenário se parece mais com a primavera, com sinais de surgimento de uma nova vida? Para você, o que significa aceitar e honrar a situação em que está agora?

Dia 4

Oscilações de energia

Conectado à derradeira fonte

Você não tem alma. Você é uma alma. Você tem um corpo.

C. S. Lewis

Formaste-nos para ti, e nosso coração não terá sossego enquanto não encontrar descanso em ti.

Agostinho

Durante as muitas tempestades e furacões que atingem a Costa do Golfo, são comuns as oscilações de energia. Nessas ocasiões, ficamos pensando se em breve teremos de revirar as gavetas em busca de velas e lanternas. Em nossa casa, as luzes oscilam, e todos os aparelhos elétricos parecem suspirar. Seguramos a respiração, esperando o que virá em seguida. De vez em quando, ficamos no escuro por alguns minutos, horas ou até mesmo dias quando os geradores e as linhas elétricas são danificados.

Nesses momentos, quando nos reunimos na cozinha acendendo velas e procurando mais pilhas e baterias, de repente nos damos conta do quanto dependemos da energia. Também somos absolutamente dependentes de energia para ter a vida para a qual fomos criados. Precisamos de energia para mudar, mas o problema é que muitas vezes achamos que podemos fazer as mudanças necessárias com apenas um pouco de força de vontade e não percebemos quanto dependemos do poder de Deus.

As pessoas que sabem que sua vida vai acabar em breve tendem a sentir um desejo quase desesperado de mudar, mas sentir desespero não é suficiente. As mudanças só serão permanentes se estivermos conectados a uma fonte de energia que esteja além de nós — uma fonte de energia que nunca oscila, pisca ou nos deixa na escuridão. Precisamos passar da força de vontade para a verdadeira energia que vem da conexão com nosso Criador. Se você já chegou ao fim da linha e está cansado de tentar controlar a vida, Jesus lhe oferece um convite singular: "Venham a mim todos vocês que estão cansados e sobrecarregados, e eu lhes darei descanso. Tomem sobre vocês o meu jugo. Deixem que eu lhes ensine, pois sou manso e humilde de coração, e encontrarão descanso para a alma" (Mt 11.28-29).

Vale a pena refletir

Em qual área da vida você tem mais dificuldade para mudar? Entrar em forma e perder peso? Abandonar um mau hábito? Alguma questão de relacionamento? Você está tentando mudar isso com a força de vontade ou com a força de Deus? Que palavras ou frases de Mateus 11.28-29 mais intrigam você? Por quê?

ENERGIA ESPIRITUAL

Embora a vida apresente muitas facetas, nossa energia espiritual é a mais importante porque tudo depende dela. Fomos criados como seres espirituais, e para desenvolvermos energia espiritual precisamos cultivar uma conexão sadia com nosso

Criador. A Bíblia revela repetidas vezes que os seres humanos são criados à imagem de Deus e que temos algo eterno em nós, nosso espírito. A parte mais importante de nossa vida é a dimensão espiritual, nossa própria alma.

Em geral, atribuímos enorme ênfase à saúde física, e ela é importante. No entanto, muitas pessoas negligenciam completamente a saúde espiritual por não poderem vê-la. Fala-se sobre crescimento espiritual e modos de estimulá-lo na vida, mas para obter o poder de mudar, é preciso buscar não o crescimento espiritual, mas sim a saúde espiritual. As coisas saudáveis crescem, de modo que não é preciso concentrar-se no crescimento espiritual durante o desafio de trinta dias. Em vez disso, concentre-se na saúde espiritual. Se dentro de apenas um mês seu corpo entrasse em colapso, você não gostaria que a parte que vai viver para sempre fosse o mais saudável possível? A chave para a saúde espiritual é manter um forte relacionamento com o Criador. Se estiver conectado a seu Criador, você crescerá como nunca e conhecerá o real poder para fazer mudanças duradouras.

VIDA FRUTÍFERA

Como podemos nos tornar espiritualmente saudáveis? Jesus nos diz:

> Eu sou a videira verdadeira, e meu Pai é o lavrador. Todo ramo que, estando em mim, não dá fruto, ele corta. Todo ramo que dá fruto, ele poda, para que produza ainda mais. Vocês já foram limpos pela mensagem que eu lhes dei. Permaneçam em mim, e eu permanecerei em vocês. Pois, assim como um ramo não pode produzir fruto se não estiver na videira, vocês também não poderão produzir frutos a menos que permaneçam em mim.

> Sim, eu sou a videira; vocês são os ramos. Quem permanece em mim, e eu nele, produz muito fruto. Pois, sem mim, vocês não podem fazer coisa alguma.
>
> João 15.1-5

Na época de Cristo, todo mundo sabia o que era necessário para produzir a melhor colheita de uvas. As pessoas viviam cercadas de vinhedos, de modo que a audiência original de Jesus sabia exatamente o que ele estava descrevendo. Mas talvez não entendamos isso muito bem. Por isso, vamos examinar o texto com maior profundidade.

Primeiramente, Jesus diz: "Eu sou a videira verdadeira". Numa vinha, a videira é a fonte de energia, a parte que fornece nutrientes e produz as uvas. Depois da videira, Jesus descreveu os ramos — ou seja, nós. Se estiver conectado à videira verdadeira, você é um ramo. Por mais que a ideia não pareça de nosso agrado, os ramos não conseguem produzir frutos sozinhos. Fomos criados para estar conectados a uma fonte de energia maior. Os ramos dão fruto, mas sem a videira não podem produzi-los. Perceba o que Jesus diz aos ramos: "Permaneçam em mim". Permanecer significa simplesmente estar conectado. Se seu desejo é ter saúde espiritual, então você precisa estar conectado a Cristo, a videira. Essa é nossa parte. É tudo o que precisamos fazer! Se você quer reduzir o estresse, tanto neste mês quanto daqui para frente, entenda que seu papel na vida é estar conectado à videira.

Às vezes, esqueço meu papel e tento ser a videira. Invento um plano, um cronograma, uma lista de objetivos e faço um planejamento. Então, tento realizar meu projeto e fazer com que tudo aconteça de acordo com o cronograma que estabeleci. No fim das contas, fico tão estressado que perco toda a minha energia. Fico frustrado, exausto e sem nada para mostrar como resultado de meus esforços. Esqueço que, por si só, o ramo não pode produzir vida; ele só pode extrair vida da videira. Por mais estranho que isso possa parecer, não depende de você produzir resultados. Você não é responsável por produzir frutos; Jesus é. Você não precisa suar, esforçar-se, trabalhar cada vez mais ou disciplinar-se para ser mais espiritual por meio da simples força de vontade. Quando você se der conta dessa verdade, ela lhe trará uma liberdade incrível!

PODA PERENE

Qualquer jardineiro ou vinicultor sabe que a poda é a chave para a produção de melhores frutos. Depois de uma pesquisa, descobri que na maioria dos vinhedos atuais os agricultores mais experientes treinam os podadores por dois ou três anos antes de deixar que cortem os ramos, porque uma poda incorreta pode arruinar toda a safra se o agricultor não souber exatamente o que está fazendo.

Nosso Pai celestial, o Mestre Jardineiro, é um podador experiente. Ele sabe quando cortar, onde cortar e quanto cortar para produzir o melhor em nossa vida. É comum pedirmos que ele nos abençoe e torne nossa vida mais frutífera — nossa família, nossos negócios, nossas finanças. Mas raramente gostamos do processo de poda pelo qual devemos passar para que nossas orações sejam respondidas. Deus poda áreas de nossa vida de modo que possamos dar mais e melhores frutos.

Imagino que muitas pessoas que estão lendo este livro tenham a nítida impressão de que não estão sendo abençoadas no atual estágio da vida. O mais provável é que isso esteja acontecendo porque estão no meio de um processo de poda. Não importa como você se sente, essa é uma boa notícia. O processo de poda é sempre doloroso, mas também produtivo. Você tem um Pai celestial que sabe o que está fazendo. Ele é um especialista. Ele o está podando neste exato momento para que você dê mais fruto. O desejo de Deus é que você cumpra o propósito final para o qual ele o criou: ser o mais frutífero possível.

Tudo o que você tem a fazer, seu único papel, é ser ramo e estar conectado à videira. Se estivermos conectados à videira, seremos espiritualmente saudáveis e ficaremos cheios de sua energia. Confiar em Deus reduzirá o estresse e permitirá que tenhamos a liberdade de nos envolver plenamente com a vida. Quando nos esquecemos disso e começamos a pensar que somos videira em vez do ramo, ficamos estressados porque não fomos criados para esse papel.

Então, surge a pergunta: como podemos permanecer conectados à videira? Isso é tudo o que você tem a fazer neste mês! Você não precisa encontrar força de vontade suficiente para parar de fumar, não precisa ranger os dentes e torcer para conseguir manter a dieta nem precisa imaginar maneiras de reatar relacionamentos. Tudo o que tem a fazer é se conectar à videira, a fonte de energia, e Deus lhe dará não a força de vontade, mas o poder real. Ele lhe dará poder para que você faça tudo o que precisa ser feito. Cresceremos espiritualmente como nunca, contanto que permaneçamos conectados à videira.

Vale a pena refletir

De que maneiras você percebeu Deus podando áreas de sua vida? Como lidou com a poda? (Seja honesto: todas as pessoas reclamam um pouco de vez em quando!) Qual foi o resultado da poda de Deus em sua vida? Onde você ainda está esperando para ver resultados?

CONEXÃO CONSTANTE

Como podemos manter conexão com a fonte primária de energia? Assim como nutrientes, água e sol são necessários para que os ramos produzam uvas suculentas em quantidade, precisamos de dois conectores para permanecer sadios, crescer e produzir o melhor fruto. A *comunicação* constante é o primeiro. Hoje em dia, mesmo trabalhando em casa, as pessoas ficam constantemente conectadas com suas empresas pelos aparelhos de comunicação de alta tecnologia. Mais do que isso, precisamos estar em constante conexão com Deus.

É pela oração que nos mantemos conectados a Deus. Ao se levantar pela manhã, é fundamental que você comece o dia da maneira correta, simplesmente conversando com Deus. Você pode falar de suas preocupações e expectativas para aquele dia, ou talvez queira simplesmente agradecer por ter mais 24 horas de presente, pensando como Deus gostaria que você as gastasse. Nas palavras de Hudson Taylor, não faça o concerto antes de afinar o instrumento. Comece o dia com Deus!

Mantenha a conversa em andamento pelo resto do dia. Não é preciso usar um tom formal nem parar tudo o que estiver fazendo. Você não precisa conversar com ele em voz alta, porque Deus conhece seus pensamentos antes mesmo de você falar. Sendo assim, simplesmente compartilhe com ele de maneira honesta o que está em seu coração. Converse com Deus durante todo o dia sobre os problemas que você está enfrentando, as decisões que tem de tomar e as surpresas pelas quais é agradecido. Quando se sentir irado ou estressado, converse com Deus sobre isso. Derrame tudo sobre ele. Ele aguenta. Você pode estar em oração durante todo o dia, permanecendo assim conectado a ele.

O próximo elemento necessário para a conexão espiritual saudável é a *confissão* constante. Isso não significa que será necessário procurar um pastor, um sacerdote ou outro ministro e contar-lhe o último podre de sua vida. Tampouco que você deverá castigar-se e sentir-se mal por algum tempo. Não. Esse é simplesmente outro aspecto de sua conversa constante com Deus durante o dia. Quando tiver consciência de algo que não deveria ter dito ou feito, ou de algo que não fez mas acredita que deveria ter feito, simplesmente confesse e siga adiante.

Todos nós somos obras em andamento. Falhamos e caímos em tentações nos momentos de fraqueza, mas não precisamos permanecer nelas nem certamente sucumbir nessas áreas. Se admitirmos os fracassos e pedirmos a graça e o perdão de Deus, ele se alegrará em limpar nosso coração e restaurar nosso relacionamento com ele. É um processo diário, momento a momento. Quando fizer alguma tolice, cometer um erro ou pecar, simplesmente assuma e conte tudo a ele. A confissão significa apenas que você assume a responsabilidade pela falha e admite isso diante de Deus, em vez de criar desculpas ou comparar-se com outros que, em sua opinião, fizeram coisas piores. Basicamente, na confissão você lembra a si mesmo que não consegue fazer nada sozinho, que precisa de Deus e quer que ele continue a trabalhar em sua vida, dando-lhe o poder necessário para crescer. Confessar é concordar com Deus que nossos caminhos estavam errados, e arrependimento é decidir andar da maneira dele.

A comunicação e a confissão nos manterão conectados à fonte primária de energia, a videira. Essa é a chave para sair da mera força de vontade e buscar a verdadeira força. Resoluções e compromissos são inúteis quando confiamos em nossa força de vontade. Talvez você os mantenha por algum tempo, mas no final das contas seu próprio poder não será suficiente. Você passa da força de vontade para a força de Deus apenas quando permanece conectado a ele.

PARA A VIDA TODA

1. Quais são as barreiras atuais que não deixam você obter saúde espiritual em sua vida? Em outras palavras, o que o impede de conectar-se a Deus para que ele seja sua fonte primária de vida espiritual?
2. Escreva uma carta ou ore a Deus com toda a honestidade, falando sobre seus desapontamentos e suas frustrações atuais. Avalie de que maneira os problemas ou as questões podem estar preparando você para uma colheita mais frutífera.
3. Como você está se saindo nas áreas de comunicação e confissão? Em quais aspectos você as praticaria de maneira diferente se soubesse que tem apenas um mês para viver?

Dia 5

Máscara de oxigênio

Respirando primeiro

Essa é sua vida. Você é quem deseja ser?
Switchfoot [Banda de rock norte-americana]

Em caso de despressurização da cabine, máscaras de oxigênio cairão automaticamente do compartimento acima de sua cabeça. Por favor, coloque a máscara de oxigênio primeiramente em você antes de auxiliar crianças pequenas e outras pessoas que precisem de ajuda.
Aviso de segurança das empresas aéreas

Dependendo da frequência com que viaja de avião, talvez você já saiba essa frase de cor. Ela faz parte do monólogo de todo comissário quando fala sobre os procedimentos de segurança no início do voo. A lógica dessa instrução é óbvia: você não pode ajudar ninguém se desmaiar por falta de oxigênio.

Contudo, essas palavras também transmitem uma poderosa verdade espiritual. Se você quer extrair o máximo de seu tempo aqui na terra e viver um estilo de vida sem arrependimentos, precisa envolver-se plenamente com as pessoas a seu redor. Seu desejo é que as pessoas a quem ama saibam quanto são importantes. Você quer ser agente de cura nas vidas que toca, deixando um legado de impacto eterno. Mas a única maneira de alcançar esses objetivos próprios de um viver autêntico é reservar primeiro um tempo para concentrar-se em si mesmo.

Se você não for saudável nos âmbitos espiritual, físico, emocional e relacional, como poderá ir além e investir nos outros?

Essa verdade não é novidade — livros de autoajuda, grupos de recuperação e sermões inspirativos muitas vezes contêm essa verdade. Talvez, como eu, você a tenha considerado um pouco egoísta, outra desculpa para o autoisolamento tão característico de uma cultura que prega que você deve estar em primeiro lugar. De fato, como qualquer outra coisa levada ao extremo, o cuidado consigo mesmo pode transformar-se numa desculpa para nunca ir além de si e das próprias necessidades. Mas colocar a máscara de oxigênio primeiro em você não tem nada a ver com isso.

Na verdade, amar a si mesmo é um mandamento bíblico. O próprio Jesus disse isso ao apontar os maiores mandamentos: "'Ame o Senhor, seu Deus, de todo o seu coração, de toda a sua alma e de toda a sua mente'. Este é o primeiro e o maior mandamento. O segundo é igualmente importante: 'Ame o seu próximo como a si mesmo'" (Mt 22.37-39). A maioria de nós compreende que devemos amar a Deus em primeiro lugar e também a nosso próximo, mas não notamos a última parte da mensagem: devemos amar nosso próximo *como a nós mesmos*. Jesus indica que, antes de podermos realmente amar os outros e fazer diferença na vida deles, devemos amar a nós mesmos.

Essa mensagem certamente pode ser usada para justificar o egoísmo, mas a realidade é simplesmente o oposto. Você precisa primeiro reservar um tempo para ser saudável de modo que, então, seja capaz de impactar o mundo ao redor. De fato, enquanto não aprender a se amar, nunca poderá de fato aprender a amar e cuidar dos outros da maneira como Deus quer que faça. Não se pode ensinar a alguém o que não se aprendeu.

Deus deseja que cultivemos energia espiritual, física, emocional e relacional. Examinamos essa conexão espiritual no capítulo anterior. Nossa conexão espiritual com Deus é semelhante a um tanque de oxigênio ilimitado. Corpos, emoções e relacionamentos saudáveis surgem quando colocamos a máscara de oxigênio primeiro em nós, para então poder ajudar os outros. Vejamos outras três áreas e o que significa "respirar primeiro" enquanto se cuida do corpo, das emoções e dos relacionamentos.

LEVE PARA O LADO FÍSICO

Se você soubesse que tem apenas um mês para viver, como trataria seu corpo? Do que abriria mão? De forçar-se a fazer exercícios? De pedir uma porção extra de batatas fritas na lanchonete? De uma grande taça de sorvete todos os dias? Se seu corpo físico tivesse apenas trinta dias para viver, seria tentador negligenciá-lo. Fazer apenas o que lhe dá prazer e comer somente o que tem um gosto bom. Mas o cuidado com seu corpo é uma área que vai muito além de algumas semanas quando se trata do estilo de vida de um mês para viver.

Quer você tenha trinta dias ou trinta anos pela frente, deve perceber que a maneira como trata seu corpo tem impacto direto e duradouro sobre a qualidade da vida que desfruta. Abdicar de exercícios, comer doces demais e ficar acordado até tarde parece muito bom por alguns dias, mas sofremos os declínios decorrentes do baixo nível de energia gerado por essa negligência. Nosso corpo exige descanso, exercício, ar puro, água e alimentação saudável. Se quer se sentir bem por mais tempo do que o sorvete leva para derreter, aumente sua energia física. Para aumentá-la, é preciso concentrar-se primeiro em desenvolver um conceito saudável do corpo.

Como cultivar um conceito saudável do corpo? Para responder a essa questão, precisamos voltar à fonte primária de nosso oxigênio — a conexão espiritual com nosso Criador. Se você não estiver conectado à máscara de oxigênio de Deus, terá dificuldades com sua imagem corporal, porque vai respirar as mentiras da sociedade sobre aquilo que é aceitável. É da natureza humana comparar-se com os outros, mas a cultura atual está saturada de anúncios que se concentram na juventude eterna, na beleza perpétua e em corpos esguios e esculturais.

O inimigo de nosso sucesso prefere que respiremos o monóxido de carbono que ele nos dá. São mensagens como "Você pode ser tão magro quanto quiser", "Faça o impossível para ter uma aparência mais jovem", "Aparência é tudo" e assim por diante. Quando aceitamos essas mensagens, nós nos envenenamos com conceitos errados sobre a verdadeira saúde do corpo físico. Para ter saúde física, é preciso ser saudável espiritualmente e ouvir aquilo que Deus diz sobre nosso corpo. Em 1Coríntios 6.19, Paulo escreveu: "Vocês não sabem que seu corpo é o templo do Espírito Santo, que habita em vocês e lhes foi dado por Deus? Vocês não pertencem a si mesmos".

Geralmente vejo dois extremos no que se refere ao conceito que as pessoas têm do corpo. O primeiro é que alguns adoram o templo. Não adoram aquele que está no templo, mas o templo em si. São aquelas pessoas que passam incontáveis horas tentando obter uma aparência melhor. Todas as semanas exercitam-se religiosamente na academia e gastam o que for necessário para melhorar o físico. Mas aqui está o problema crucial: sempre que adorar o templo, ou seja, o corpo — algo que sempre sofrerá alterações —, você se sentirá inseguro.

O outro extremo é tão prejudicial quanto o primeiro: há pessoas que destroem o templo. Elas negligenciam o físico completamente e jamais se preocupam com a saúde em geral. Fazem isso fugindo dos exercícios, comendo demais, fumando ou tendo outros hábitos prejudiciais, desprezando o bem-estar físico. Isso reduz tanto a qualidade quanto os anos de vida.

Se soubesse que Deus viria jantar hoje em sua casa, você não limparia e arrumaria tudo, preparando-se para a visita dele? Você tem de entender que Deus vive em sua casa neste exato momento. Ele vive dentro de você. Seu corpo é o templo de Deus, por isso é tão importante cuidar de si mesmo e cultivar a força física.

Se permanecer conectado à videira — que se relaciona à saúde espiritual —, você passa da mera força de vontade para a força de Deus. Então, ele lhe dá forças para se exercitar. Ele lhe dá poder real para manter a dieta. Você não se tornará um triatleta vegetariano que ora durante toda a refeição, não é nada disso. Mas, em contrapartida, não será levado a adorar ou desprezar o próprio corpo. Reconhecerá que ele é uma criação de Deus que concede morada tanto à sua alma quanto ao Espírito Santo, e você dará mais atenção a sua saúde física.

Vale a pena refletir

Qual é o maior desafio na área física que você enfrenta?
Peso? Imagem corporal? Ferimentos ou doenças?
Como você pode cuidar melhor de seu templo?
Que passo você pode dar hoje para melhorar sua saúde física? Que tal procurar (e colocar em prática) uma dieta e um plano de exercícios diários?

COMO VOCÊ SE SENTE?

A próxima área crucial onde devemos respirar primeiro para depois ajudar os outros é nossa vida emocional. Muitas pessoas agem de acordo com a vontade. Elas trabalham muito, vão à igreja ou são amorosas com a esposa ou o marido quando sentem vontade. Tentam ser um pai ou uma mãe melhores de acordo com a própria vontade, para que se sintam bem, não porque seus filhos precisam sentir-se amados.

Grande parte do processo de amadurecimento e crescimento consiste em aprender a reconhecer e experimentar as emoções sem ser controlado por elas. Claro que não se trata de apertar um botão e desligar o medo, ou apertar outro botão e ser feliz. Talvez não sejamos capazes de controlar aquilo que sentimos, mas com certeza podemos controlar aquilo que fazemos com as emoções — a maneira como elas afetam os pensamentos e o comportamento. Uma vez que os sentimentos podem oscilar dependendo do humor, das circunstâncias, da saúde física e de outros fatores, é essencial voltar-nos para a fonte primária: nossa conexão espiritual com Deus. À medida que enfrentamos os altos e baixos da vida, a verdade de Deus serve como porto seguro, a ser usado em qualquer tempestade emocional, seja qual for o tamanho. O Novo Testamento diz: "Pois Deus não nos deu um Espírito que produz temor e covardia, mas sim que nos dá poder, amor e autocontrole" (2Tm 1.7). Se eu estiver conectado a meu Criador por meio de conversa e confissão constantes, então ele me dará o poder e o autocontrole de que preciso.

É importante entender que uma vida emocional saudável não é sinônimo de emoções escondidas. Não. Fomos criados como seres emocionais. Temos simplesmente de expressar nossas emoções sem sermos controlados por elas. Muitas pessoas estão condicionadas, direta ou indiretamente, a crer que demonstrar sentimentos é errado, um gesto fraco, feminino e perigoso. Alguns cristãos acreditam que jamais podem ficar irritados, sentir-se tristes ou entusiasmados demais. É importante ser honesto quanto às emoções. Não estou dizendo que você controla suas emoções ao reprimi-las. Na verdade, a negação e a repressão causam um estrago bastante semelhante ao caos que se instala quando agimos de acordo com nossa vontade. Um amigo e conselheiro me disse que as pessoas que reprimem as emoções tentam manter uma bola sob a água. Elas até podem conseguir por algum tempo, mas a pressão da água acaba empurrando a bola para a superfície. Em contrapartida, não deixe que o curso de sua vida seja ditado pelas emoções. Sinta o que tem de sentir, mas faça somente o que Deus quer que você faça.

Jesus passou por uma ampla gama de emoções humanas, que qualquer um de nós conhece, mas ele nunca pecou. Ele se irritou, chorou, sorriu. Claramente provou todas as emoções por que passamos, mas não permitiu que controlassem seus pensamentos, seu comportamento ou sua interação com os outros. Ele é nosso melhor exemplo de como sentir tudo o que brota de dentro para fora e, ainda assim, seguir aquilo que Deus quer que façamos. É óbvio que Jesus enfrentou algumas emoções difíceis à medida que sua morte cruel se aproximava — solidão, incerteza, medo e apreensão. Contudo, ele orou pedindo que a vontade do Pai fosse feita em sua vida.

Vale a pena refletir

De que modo você costuma lidar com as emoções fortes? Sua tendência é explodir ou ficar ruminando? Pense na última vez em que um sentimento tomou conta de você — medo, alegria, decepção, entusiasmo, ciúme ou ira. Como você o expressou? O que teria feito diferente?

CONECTADO PELOS RELACIONAMENTOS

A principal razão de colocarmos a máscara de oxigênio primeiro em nós mesmos é podermos respirar e permanecer saudáveis para ajudar a outra pessoa a encontrar o oxigênio de Deus. Muito embora seja de esperar que os relacionamentos encontrem desafios — muitos dos quais abordaremos a seguir —, eles refletem um dos aspectos mais significativos da maneira como fomos criados. Assim como Deus nos criou como seres eternos em corpos temporais, ele planejou que vivêssemos em harmonia com os outros. Não devemos ser autossuficientes e independentes a ponto de nos isolar e evitar outras pessoas.

Se soubéssemos que temos apenas algumas semanas de vida pela frente, certamente não gostaríamos de morrer sozinhos. Antes, gostaríamos que aqueles com quem nos importamos conhecessem nosso verdadeiro eu e soubessem como somos gratos por eles. Gostaríamos de dizer-lhes nossas palavras finais, do fundo do coração. Assim, deixaríamos um legado relacional de amor persistente e fé constante.

Espero que cada um que lê este livro tenha muito mais do que um mês para viver — que tenha muitos e muitos anos saudáveis e maravilhosos. Mas, independentemente do número de dias que tenhamos pela frente, precisamos entender que a vida é curta. Pedimos a Deus que nos ensine a contar nossos dias e nos ajude a compreender que o tempo é limitado e devemos gastá-lo como ele quer. Só assim poderemos cumprir o propósito para o qual o Senhor nos criou. A realização de nosso propósito como sua criação, conectados a Deus como nossa fonte de vida, permite que sejamos saudáveis nos aspectos físico, emocional e relacional. Respirar primeiro não é um gesto egoísta. É essencial.

PARA A VIDA TODA

1. Que nota você atribuiria a sua saúde em cada uma destas áreas: espiritual, física, emocional e relacional? A nota vai de 1 (péssimo) a 10 (excelente). Qual é o maior desafio a ser enfrentado para melhorar sua saúde nessas áreas? O que pode fazer para enfrentar esse desafio?
2. Anote objetivos específicos a serem perseguidos no resto deste mês com o propósito de melhorar essas quatro áreas. Certifique-se de que os objetivos sejam *práticos* e *mensuráveis*.
3. A cada dia, procure investir de quinze a trinta minutos em sua saúde espiritual, física, emocional e relacional.

Dia 6

Escada horizontal

Arriscando-se para encontrar a grandeza

A segurança é, em grande parte, uma superstição. Ela não existe na natureza, nem os filhos dos homens a experimentam. A longo prazo, evitar o perigo não é mais seguro do que a exposição total. Ou a vida é uma aventura ousada ou não é nada.

Helen Keller

Um navio está em segurança no porto, mas não é para isso que servem os navios.

William Shedd

Quando meu filho Josh tinha quatro ou cinco anos, levei-o ao parque, e ele logo foi para seu brinquedo favorito. "Quero ir naquele!", ele disse enquanto corria para o brinquedo que é como uma escada horizontal. Eu o levantei, ele se segurou nas barras, e então o soltei. Com os pezinhos pendurados a um metro e meio do chão, ele seguia todo orgulhoso, segurando-se sozinho com um grande sorriso. Depois de cerca de um minuto, se cansou e disse:

— Chega. Pode me pôr no chão.

Então eu disse:

— Josh, solte as mãos para eu pegar você. Ele me olhou com um ar preocupado:

— Não. Me põe no chão.

— Tudo bem, Josh. Se você se soltar, eu o pego.

— Não! Me põe no chão!

— Josh, eu amo você. Prometo que pego você.

Você deve estar pensando que tipo de pai eu sou! Alguém talvez perceba que eu estava aproveitando aquela oportunidade para um momento de aprendizado, para que Josh soubesse que podia confiar em mim e que, se simplesmente se soltasse, eu estaria ali a seu lado. Mas aquele pequeno rapaz segurou a barra com toda a força. Continuou segurando até os dedos ficarem brancos e não conseguir mais aguentar. Finalmente se soltou, e eu o peguei.

Um grande sorriso surgiu no rosto dele. Coloquei Josh no chão, e ele correu para o balanço. Logo ele se esqueceu de tudo aquilo, mas percebi que Deus tinha uma mensagem para mim naquele cenário, quase como se estivesse dizendo: "É exatamente dessa maneira que quero me relacionar com você. Você se agarra a tudo desesperadamente, tentando fazer as coisas com suas próprias forças. Luta incansavelmente querendo controlar tudo, tentando fazer tudo do jeito certo, tentando agradar as pessoas, controlar todas as situações. Você se agarra e pensa que não há ninguém para pegá-lo e então conclui que é melhor segurar firme e apertar as mãos. Enquanto você fica pendurado com os dedos doendo, eu digo: 'Solte, vou pegar você. Relaxe. Eu prometo. Amo você e vou pegá-lo'".

Eu me esforço muito para manter tudo funcionando do jeito que penso que deveria ser, enquanto Deus está ali o tempo todo. Ele diz: "Criei você com minhas próprias mãos. Fiz você com um propósito em mente e morri para ter você de volta. Por que não confia em mim? Entreguei minha vida por você. Sou o Deus do universo. Você pode simplesmente se soltar, pois vou pegá-lo". Por que tenho tanta dificuldade com isso? Preciso chegar todos os dias ao ponto em que percebo que não posso controlar tudo na vida e preciso soltar-me e render-me a Deus. Ele sempre me pega, e é nesses momentos que sinto sua paz e força em meio às pressões da vida.

Vale a pena refletir

Neste exato momento, a que você está se agarrando e o que precisa abandonar para seguir adiante na vida? O que o impede de confiar que Deus vai pegá-lo?

SHOW DE TALENTOS

A única maneira de se arriscar para encontrar a grandeza é confiar em Deus em cada área da vida. Ficar agarrado às barras do brinquedo é cansativo e impede a realização de sonhos maiores e mais satisfatórios que Deus tem para nós. Quando nos apegamos a nossos próprios métodos e objetivos, perdemos oportunidades que nos abençoariam e nos fortaleceriam. Deus nos criou para assumir riscos — não se trata de uma declaração temerária como “Las Vegas, aí vou eu!”, mas de maneiras de agir que estão fora de nossa zona de conforto e além de nossas próprias motivações. Deus quer que confiemos nele para realizar coisas incríveis que jamais poderíamos alcançar sozinhos. De fato, Jesus conta uma parábola que nos apresenta uma noção real da estratégia de investimento divino.

Em Mateus 25.14-30, Jesus compara o reino de Deus a um homem que, partindo para uma longa viagem, delegou responsabilidades financeiras a seus servos.

> “Ao primeiro entregou cinco talentos; ao segundo, dois talentos; e ao último, um talento. Então foi viajar. O servo que recebeu cinco

talentos começou a investir o dinheiro e ganhou outros cinco. O servo que recebeu dois talentos também se pôs a trabalhar e ganhou outros dois. Mas o servo que recebeu um talento cavou um buraco no chão e ali escondeu o dinheiro de seu senhor.

"Depois de muito tempo, o senhor voltou de viagem e os chamou para prestarem contas de como haviam usado o dinheiro. O servo ao qual ele havia confiado cinco talentos se apresentou com mais cinco: 'O senhor me deu cinco talentos para investir, e eu ganhei mais cinco'.

"O senhor disse: 'Muito bem, meu servo bom e fiel. Você foi fiel na administração dessa quantia pequena, e agora lhe darei muitas outras responsabilidades. Venha celebrar comigo'.

"O servo que havia recebido dois talentos se apresentou e disse: 'O senhor me deu dois talentos para investir, e eu ganhei mais dois'.

"O senhor disse: 'Muito bem, meu servo bom e fiel. Você foi fiel na administração dessa quantia pequena, e agora lhe darei muitas outras responsabilidades. Venha celebrar comigo'.

"Por último, o servo que havia recebido um talento veio e disse: 'Eu sabia que o senhor é homem severo, que colhe onde não plantou e ajunta onde não semeou. Tive medo de perder seu dinheiro, por isso o escondi na terra. Aqui está ele'.

"O senhor, porém, respondeu: 'Servo mau e preguiçoso! Se você sabia que eu colho onde não plantei e ajunto onde não semeei, por que não depositou meu dinheiro? Pelo menos eu teria recebido os juros.

"Em seguida, ordenou: 'Tirem o dinheiro deste servo e deem ao que tem os dez talentos. Pois ao que tem, mais lhe será dado, e terá em grande quantia; mas do que nada tem, mesmo o que não tem lhe será tomado. Agora lancem este servo inútil para fora, na escuridão, onde haverá choro e ranger de dentes'."

A resposta do mestre ao terceiro servo pode parecer dura. Contudo, por mais irônica que possa ser, essa história reforça o fato de que Deus não quer que o temamos a ponto de inibir nossa disposição de nos arriscarmos a crescer. O terceiro servo tinha tanto medo de soltar as barras que ficou pendurado nelas. Não confiava o suficiente no respeito e no amor de seu chefe para acreditar que ele iria ampará-lo se ele se arriscasse muito e perdesse.

Assim, é comum que façamos tudo dentro de uma margem de segurança, satisfeitos com o modo como as coisas estão e justificando nossa visão conservadora ao dizer a nós mesmos que é isso o que Deus deseja. Mas todo mundo tem espaço para crescer na vida. "A quem muito foi dado, muito será pedido; e a quem muito foi confiado, ainda mais será exigido" (Lc 12.48).

Vale a pena refletir

Em quais áreas as possibilidades de você assumir um risco são maiores — pessoal, profissional, relacional ou espiritual? Em quais você tem a tendência de agir com cautela? Por que é mais fácil assumir riscos em algumas áreas do que em outras?

GERENCIAMENTO DE RISCOS

O que nos leva a nos apegar a nossos próprios esforços em vez de nos arriscarmos para encontrar a grandeza que Deus tem para nós? Para muitos é a perda do controle. Achamos que, se realmente nos soltarmos e permitirmos que Deus nos pegue e nos direcione, passaremos a vida como condenados na prisão, fazendo o que odiamos. Nada poderia estar mais longe da verdade! Deus criou cada um de nós para cumprir um propósito, e nos projetou de maneira única para realizá-lo. Ele plantou a eternidade em nosso coração, com as sementes da grandeza que só podem crescer por nossa disposição em servir.

Como é se soltar? De acordo com minha experiência, muitas vezes envolve paciência e a procura da mão de Deus nos lugares mais inusitados. Deus raramente se conforma a nosso cronograma ou faz coisas de maneira nítida e linear, de acordo com nossa perspectiva humana e limitada. Às vezes, nem mesmo percebemos para o que fomos criados, o que de fato nos anima e alegra, até o momento em que somos forçados a entrar nisso, esperneando e gritando. Para o escritor e teólogo C. S. Lewis, é muito comum sermos como crianças que se contentam em brincar em poças de lama quando a beleza e a imensidão do oceano estão a apenas alguns passos de distância.

O medo é provavelmente outro grande obstáculo que nos mantém presos às barras mesmo depois de ter chegado a hora de seguir adiante. E o medo certamente pode paralisar-nos; é grande a possibilidade de ficarmos confinados a uma visão muito estreita da vida. Fica difícil imaginar como sobreviver se as coisas não forem como desejamos. Nossa perspectiva fica limitada e não inclui possibilidades que parecem improváveis e até mesmo impossíveis quando tratadas de acordo com nossos planos.

Todos nós já ouvimos histórias de celebridades e empresários de sucesso que fracassaram terrivelmente no início da carreira até depararem "por acaso" com novas aventuras para as quais eram naturalmente talhados. Henry Ford não foi um bom empresário (faliu cinco vezes), mas foi um engenheiro visionário. Oprah Winfrey foi despedida do emprego de repórter de televisão antes de lançar seu famoso e bem-sucedido programa e construir seu vasto império. De fato, se olharmos para a vida de pessoas de sucesso, tanto personagens históricos quanto pessoas da atualidade, não encontraremos ausência de fracasso, medo ou dor. Pelo contrário, encontraremos o denominador comum da perseverança e do propósito convergindo para motivar e inspirar uma caminhada para a frente. Essas pessoas foram adiante mesmo com medo, não apenas passando pelos fracassos, mas aprendendo com eles.

A Bíblia nos diz que o perfeito amor afasta todo medo (1Jo 4.18). Ela não diz que a perfeição expulsa o medo, nem que o amor perfeito garante o sucesso como o queremos. Quando conhecemos o amor de Deus, o cuidado e a compaixão de um Pai amoroso que anseia que confiemos nele, então podemos soltar-nos. Seu amor é muito maior que nosso medo. Quando um de meus filhos iam mal numa prova de matemática ou não iam para a cama na hora certa, não deixava de amá-lo. Dependendo das circunstâncias e da razão do fracasso, essas ocasiões podiam ser excelentes oportunidades de aprendizado.

Da mesma forma, Deus se deleita em perdoar nossos fracassos e transformar nossos erros — cometidos por rebeldia ou por boa-fé — numa parte de seu plano e de nosso propósito final. Olhe para Davi e Bate-Seba — adultério, assassinato, negação e finalmente confissão e arrependimento. Mas Deus transformou um erro incrivelmente egoísta e destrutivo em algo poderoso e vivificante. Bate-Seba foi a mãe de Salomão, e ele está na linhagem de Davi da qual Jesus descende. Bate-Seba é até mesmo mencionada na genealogia de Cristo registrada no início do evangelho de Mateus (Mt 1.6).

SIMPLESMENTE FAÇA

Uma das mais notáveis semelhanças entre as pessoas que conheço e que se aproximam do fim da vida é a maneira como elas enfrentam seus temores e assumem riscos. Muitos dos adiamentos que fazemos servem apenas para manter a vida segura, confortável e medíocre: a difícil ligação telefônica para um parente afastado ou um ente querido; a conversa com nossos filhos sobre temas importantes; pedir perdão por alguma coisa da qual nos arrependemos ou deixamos de fazer; agir espontaneamente e viver o momento; tomar um sorvete numa tarde quente e ensolarada...

Perdemos muitos momentos pequenos e grandes quando não estamos dispostos a romper o padrão de seguir pelo caminho de menor resistência e tentar coisas maiores. Mas se soubéssemos que nossos dias estão contados e de repente nossas prioridades se mostrassem claras, seria muito mais fácil ouvir o chamado de Deus e mergulhar. Não nos preocuparíamos com o que os outros pensam ou dizem de nós, com o fracasso ou o desperdício de tempo, porque reconheceríamos que o arrependimento pesaria mais do que isso.

Se você está cansado de ficar agarrado às barras e sente que está perdendo o controle da vida, solte-se e sinta os fortes braços de um Deus amoroso pegando você. Na força da graça de nosso Pai celestial, você sentirá a segurança e a paz que tanto deseja.

PARA A VIDA TODA

1. Faça uma lista de itens, recursos, dons e oportunidades que você recebeu para gerenciar. Ao lado de cada um, descreva a maneira como os obteve (por exemplo, nasceu com eles, recebeu-os de alguém, trabalhou por eles) e anote a parcela de controle que você teve na maneira como eles lhe foram entregues. Por fim, anote como acredita que Deus gostaria que você investisse cada item da lista e como pode fazer esse investimento.

2. Você já se decepcionou com Deus? Quando? Em que momento ele não foi até você da maneira que esperava? Como isso afetou seu relacionamento com ele? Como você pode depositar confiança nele como seu Pai amoroso mesmo se sentindo decepcionado? Passe um tempo em oração hoje falando de sua decepção e pedindo ajuda para confiar mais em Deus.
3. Cite um risco que acredita que Deus está pedindo para você assumir neste exato momento da vida. Escreva seus temores quanto a assumi-lo. Descreva o que de pior pode acontecer se você assumir esse risco e falhar. Ore para que Deus o ajude a enfrentar seus medos de modo que possa fazer o que ele deseja.

Dia 7

Doces preferidos

Tirando os sonhos congelados do freezer

Nossa vida mais real acontece quando vivemos nossos sonhos acordados.

Henry David Thoreau

Existem pessoas que colocam seus sonhos numa pequena caixa e dizem: "Sim, eu tenho sonhos, é claro que tenho sonhos". Então, guardam a caixa bem escondida e a pegam de vez em quando, só para ver se os sonhos ainda estão ali.

Erma Bombeck

Os sonhos podem ser tão gostosos quanto o doce preferido de sua infância. Lembra-se dele? Eles variam de pessoa para pessoa, mas como gostávamos deles quando crianças! A realização de nossos sonhos pode ser como correr atrás dos carrinhos de sorvete ou do vendedor ambulante, comprar o doce e desfrutar aquela sensação que nos dava tanto prazer. Um sonho é algo que nos chama, qualquer coisa que pareça impossível ou maluca, mas algo mais doce e agradável que qualquer outra coisa que possamos imaginar.

Para a maioria das pessoas, porém, a realização de sonhos raras vezes acontece tranquilamente. É como se o sorvete tivesse derretido rápido demais, caído do palito e se espatifado na calçada. Talvez seja mais correto dizer que não perdemos nossos sonhos, mas que eles simplesmente ficam enterrados no fundo do freezer, onde ficam congelados e se tornam quebradiços e cobertos de cristais que inibem seu sabor.

Não leva muito tempo até que as nevascas da vida congelem os sonhos. O cotidiano tem um jeito próprio de desgastar os sonhos da juventude e desvanecer a esperança de vê-los realizados. Ganhamos queimaduras de gelo pelo frio amargo da decepção, do atraso e do adiamento. Em vez de sonhar alto e acreditar que Deus pode realizar grandes coisas por meio de nós, passamos simplesmente para o modo de sobrevivência e colocamos os sonhos no gelo.

Deus nos colocou aqui por uma razão e plantou sonhos dentro de nós de modo que possamos fazer nossa parte para vê-los realizados. Tenhamos trinta dias ou trinta anos pela frente, queremos deixar esta vida sem arrependimentos. Os vários "se eu pudesse" e "e se" nos assombrarão a menos que tenhamos consciência de que devemos esforçar-nos para trazer nossos próprios sonhos à vida. Muitas pessoas, porém, não têm ideia de quais são seus sonhos e do que realmente querem da vida. Você não se sente assim às vezes? Quem sabe quando se sente deprimido com o trabalho e pensa se não acabou se desviando completamente de seu chamado; ou talvez quando um relacionamento se rompe ou as circunstâncias o levam a questionar se você está no lugar certo; quem sabe quando você está simplesmente entediado, executando mais uma tarefa corriqueira. Durante esses momentos, nossa tendência é esquecer quais são nossos verdadeiros desejos e sonhos, porque eles estão enterrados sob uma avalanche de dor.

Creio que Deus quer descongelar aqueles sonhos que ele mesmo colocou em seu coração. Ele quer livrá-lo de uma existência comum e trazer seus sonhos de volta à vida! O salmista disse: "Provem e vejam que o Senhor é bom" (Sl 34.8). Descobri que não há nada mais gostoso e agradável para alguém do que descobrir e seguir o sonho que Deus plantou em seu coração.

Vale a pena refletir

Neste momento, qual é sua conexão com seus sonhos? Sua vida diária reflete uma busca ativa de seus sonhos? O que o impede de fazer essa busca?

OS SONHOS FLUTUAM

Os sonhos têm mais variedades do que sabores de sorvete. O simples fato, porém, de querer alguma coisa não significa que esse seja o sonho que Deus plantou em seu coração. Assim, como saber se um sonho é de fato de Deus ou simplesmente uma ideia que surgiu em sua cabeça? Em primeiro lugar, o sonho de Deus nunca será contrário a sua Palavra, porque ele nunca se contradiz. Se o desejo que você tem vai contra a Palavra de Deus, então não é um sonho dele. Paulo nos contou o segredo para determinar se um sonho é de Deus quando disse que "Deus [...] é capaz de realizar infinitamente mais do que poderíamos pedir ou imaginar" (cf. Ef 3.20). O sonho de Deus subirá à superfície enquanto todo o resto derrete. O sonho de Deus para nós flutuará como uma bola de sorvete colocada num copo cheio de refrigerante.

O sonho de Deus emerge, em primeiro lugar, porque exige fé. Se um sonho é de Deus, será tão grande em sua vida que você não conseguirá realizar sozinho. Se puder realizá-lo por si mesmo, nenhuma fé será exigida. A Bíblia diz: "Sem fé é impossível agradar a Deus" (Hb 11.6). Sendo assim, se um sonho é de Deus, ele só emergirá porque será tão grande que, sozinho, você não conseguirá realizá-lo. Terá de ser uma obra de Deus.

O sonho de Deus também emerge porque faz diferença na vida de outras pessoas. Não é um sonho egoísta. Se você sonha em ganhar uma enorme quantidade de dinheiro para se aposentar mais cedo, viver no luxo e não necessitar da ajuda de ninguém, esse sonho claramente não é de Deus. Em contrapartida, se quer ganhar muito dinheiro para poder doar, para servir ao reino de Deus, para se aposentar mais cedo e iniciar uma nova carreira para a qual ele o está chamando, então o sonho pode ser de Deus. Só você pode saber qual é o sonho de Deus para sua vida. Ele nos criou como seres sociais, tão relacionais quanto ele, e deseja que amenos e sirvamos aos outros como ele faz.

O sonho de Deus emerge ainda por outra razão: ele vem do cerne do que você é, de seu coração. Sempre que lhe dá um sonho, Deus o coloca no fundo de seu coração. Na maioria das vezes, a palavra usada para *coração* no Novo Testamento é *kardia*, um termo grego que significa literalmente "o verdadeiro você". As Escrituras usam a palavra *coração* em referência a sua motivação interna, seu amor e suas paixões. Assim, quando lhe dá um sonho, Deus o coloca em seu coração. Quando Deus lhe concede a paixão por alguma coisa, o desejo dele é que você busque essa paixão por estar incorporada a seu ser, não por ele estar tentando sequestrar sua vida. Ele não lhe dá uma paixão por um sonho e depois o chama para cumprir um plano de vida completamente diferente. Isso não é do caráter de Deus, nem é uma boa administração de recursos — e ele nunca desperdiça os recursos que criou.

Vale a pena refletir

Como você faz distinção entre seus próprios sonhos egoístas e os sonhos concedidos por Deus, plantados em sua vida? Como Deus revelou e realçou o sonho dele para sua vida? Como você costumava responder no passado? Em que aspectos sua resposta seria diferente se você tivesse apenas um mês para viver?

ESTRADA DE TERRA

Existe, em contrapartida, alguém cujo único propósito é pregar-lhe peças e enganá-lo. Esse inimigo tem medo de seu coração, porque sabe o que Deus pode fazer por meio de pessoas comuns como você para gerar uma enorme diferença no mundo. Satanás sabe que os sonhos começam no coração e, por isso, quer ferir seu coração, tirá-lo da ação e, com um frio capaz de atingir a alma, congelar o sonho que Deus lhe deu. Ele o bombardeia constantemente com mensagens que dizem que você não é capaz, que nunca fará algo de importância. Ele quer que nossos fracassos na vida nos incapacitem e nos desviem da busca do sonho.

Não é difícil entender por que a vida é tão difícil. A Bíblia diz que Deus tem um plano para nossa vida, grande e sofisticado. Mas Satanás também tem um plano para nós. A maneira mais clara de expressar esse contraste entre os dois propósitos é apresentada nesta passagem: "O ladrão vem para roubar, matar e destruir. Eu vim para lhes dar vida, uma vida plena, que satisfaz" (Jo 10.10). O propósito de Deus é dar-lhe um sonho. O propósito de Satanás é roubar-lhe o sonho. E você deve estar ciente do quanto ele é decidido.

Se não conseguir impedir que corramos atrás do sonho de Deus para nossa vida, ele vai mudar de tática e tentar fazer com que duvidemos de nossos sonhos. Um de seus maiores aliados é nossa impaciência, com o medo, a preocupação, a ansiedade, a crítica e a frustração que em geral a acompanham. Podemos perseguir o sonho e nos envolver ativamente em sua realização. Podemos fazer nossa parte e ficar pensando por que Deus não responde de imediato. Mas Deus não é como aquelas máquinas automáticas de refrigerante, e seu cronograma em geral difere de nossas expectativas. Se os exemplos das Escrituras e nossas próprias experiências servem de parâmetro, então haverá um período de espera antes que os sonhos se materializem. Passaremos por um desvio, uma rota alternativa no caminho que afinal nos fará ver nossos sonhos se tornando realidade.

Nesse período de espera, começamos a fazer perguntas como "Quando isso vai acontecer? Isso vai *mesmo* acontecer?", "Senhor, quando e com quem vou me casar?", "Deus, será que vou conseguir superar essa dor?", "Quando, ó Pai, vou resolver esse problema?", "Senhor, quando vamos conseguir ter nosso filho?", "Quando, Senhor?". Se você está na sala de espera da vida neste momento, saiba que não está sozinho.

Deus disse a Abraão que ele seria o pai de uma grande nação. Ele tinha 99 anos quando teve um filho! Moisés tornou-se o líder da nação judaica para tirar o povo da escravidão no Egito — o povo pediu isso por quase quatrocentos anos —, mas primeiramente Deus o enviou para o deserto para cuidar de ovelhas por quarenta anos. Até mesmo Jesus Cristo, o Salvador do mundo, esperou trinta anos para começar seu ministério na terra.

Por que Deus manda todo mundo para essa sala de espera da vida? Creio que é porque ele quer que aprendamos a confiar nele. Deus nos prepara para realizar o sonho quando nos ensina a confiar nele. Enquanto esperamos, aprendemos que ele está bem perto, ao nosso lado, dizendo: "não o deixarei, jamais o abandonarei" (Hb 13.5). Talvez não entendamos o que ele está fazendo naquele momento, mas sempre podemos confiar no coração de Deus.

Quando a vida fica difícil, quando estamos feridos e cansados, devemos lembrar-nos do que está em jogo. Quando estamos feridos, somos tentados a enterrar nossos sonhos no fundo do coração, onde eles congelam. Todas aquelas feridas do passado nos impedem de acreditar que Deus pode usar-nos. Já fracassamos tantas vezes. Somos tão inúteis. Estamos muito fracos e cansados. Queremos desistir do sonho, com medo de que seja tarde demais.

Mas com Deus nunca é tarde demais.

A incrível ironia é que Deus se alegra em curar nossas feridas e transformá-las em fontes de força para realizar os sonhos que ele tem para nós. Deus pode usar a própria experiência dolorosa que você gostaria de esquecer para fazer diferença na vida de outras pessoas. A Bíblia nos conta que os irmãos de José o venderam como escravo — era o inimigo roubando o sonho. Deus usou as circunstâncias para elevar José ao poder no Egito durante um período de fome — era Deus realizando o sonho. Lembre-se sempre de que, independentemente do que estiver passando, nenhum problema pode destruir o sonho de Deus para sua vida.

PARA A VIDA TODA

1. Pegue sua "caixa de sonhos". O que há dentro dela? Quais são seus sonhos congelados? Em outras palavras, o que você tentaria fazer para Deus se tivesse certeza de que não fracassaria?
2. Faça a descrição por escrito de um sonho que você tem e que acredita ser de Deus. Como ele "flutuou até emergir" em sua vida? Em que aspectos ele exige fé de sua parte para que seja realizado? De que maneira isso pode servir outras pessoas?
3. Passe um tempo em oração pedindo a Deus que revele algo que você possa fazer hoje para tornar mais eficaz sua busca do sonho dele para sua vida.

Dia 8

Ligando o motor

A toda velocidade

Não pergunte do que o mundo precisa. Pergunte o que o faz sentir-se vivo, e corra atrás disso. Porque o mundo precisa de pessoas que tenham vida.

Howard Thurman

Nunca é tarde demais para ser aquilo que você deveria ser.

George Eliot

Você já se sentiu impotente na vida? Ouço de muitas pessoas que a principal razão por não tentarem mudar é o fato de se sentirem impotentes para alterar a combinação de forças das circunstâncias presentes na vida delas. Talvez você tenha um hábito e se sinta incapaz de abandoná-lo. Quem sabe você tem um problema de relacionamento, já tentou de tudo para restaurá-lo, mas mesmo assim continua rompido. Pode ser uma questão profissional que está minando sua energia e criatividade, e você não consegue enxergar a solução. Pode ser que sua agenda esteja sobrecarregada, sua caixa de entrada de e-mails esteja transbordando e você se sinta completamente exaurido e estressado. Suas baterias emocionais estão descarregadas, e sua energia mental se evaporou. Você não é o único. Há momentos em que todo mundo se sente impotente.

Há algum tempo eu e minha família fomos a uma pista de motocross e ficamos admirados com todas as lombadas, curvas e ziguezagues que vimos. Quando chegou nossa vez de entrar no circuito, recebemos instruções sobre o controle das motos — com um grande motor de 250cc, elas têm muita potência.

Então me ocorreu uma ideia: e se eu simplesmente *empurrasse* minha motocicleta por todo o circuito? Suponha que eu nunca ligasse o motor, que nunca usasse sua potência, mas simplesmente empurrasse a motocicleta por todas as ladeiras e curvas fechadas. Isso seria loucura, não é? Contudo, é dessa maneira que muitos de nós enfrentam a vida. Uma transformação fundamental ocorre quando percebemos que temos todo o poder de Deus a nossa disposição. Seu ilimitado estoque de força dá o vigor de que precisamos para colocar a vida em movimento. Temos os cavalos de força de Deus para nos ajudar, curar nosso casamento, restaurar nossas finanças, salvar nossa família, intervir em nosso local de trabalho e resgatar nossa vida. Seu poder está à disposição para nos ajudar a viver a vida para a qual ele nos criou, mas na maior parte do tempo vivemos apenas com nossa força. Tentamos subir as ladeiras e atacar os problemas sem a força adequada para terminar a corrida.

As pessoas que se defrontam com a fase final da vida são forçadas a reconhecer sua impotência e suas limitações. Quanto mais enfraquecem, mais precisam depender dos outros para cuidar delas. Em certo momento, percebem que grande parte da vida está fora de seu controle. Por fim, são forçadas a se voltar para Deus. A ironia é que, quando finalmente param de lutar e confiam na força do Senhor, descobrem o verdadeiro poder para viver ao máximo o restante de seus dias.

O mesmo poder ilimitado está a sua disposição a todo instante. Você se sente como se estivesse empurrando uma motocicleta por uma pista acidentada? Com um motor potente, tudo o que você tem de fazer é ligá-lo e usar o poder de Deus para sua vida. Paulo diz em Efésios 1.19-20: "Oro para que entendam a grandeza insuperável do poder de Deus para conosco, os que cremos. É o mesmo poder grandioso que ressuscitou Cristo dos mortos e o fez sentar-se no lugar de honra, à direita de Deus, nos domínios celestiais". Deus lhe dará todo o poder de que você precisa para o estilo de vida de um mês para viver.

ACIDENTES VIOLENTOS

A vida é muito semelhante ao motocross: mudanças de trajeto e curvas fechadas; rotas irregulares e buracos profundos. Aparece um trecho de terreno plano, mas, cuidado, logo surge outra curva. No motocross, as lombadas e ondulações são chamadas de *whoops*. Mas qual é o tamanho delas? Trata-se das irregularidades da pista, que causam batidas e arranhões esperados como parte da diversão. E é claro que ainda existem as colisões.

Quando um piloto de motocross entra numa curva, inclina-se demais e derrapa, é um *low-side crash* (colisão lateral baixa). Mas quando ele entra numa curva e gira no sentido horizontal — lançado para o lado de fora da curva — é um *high-side crash* (colisão lateral alta). Esse tipo de acidente em geral é muito mais violento por causa da ação da força G e pode acabar com a carreira ou a vida do piloto.

Todos nós derrapamos algumas vezes na pista da vida. A questão não é se vamos bater, mas quando vamos bater. É simplesmente parte da vida. O bem-sucedido já fracassou muitas vezes. Enquanto trabalhava na invenção da lâmpada elétrica, Thomas Alva Edison declarou: "Eu não fracassei. Simplesmente descobri dez mil maneiras de não fazer funcionar". Precisamos da mesma persistência para continuar caminhando. O maior poder de que precisamos na vida é o de recomeçar. Então, como você recomeça depois de um acidente? Como você volta à posição de largada e começa de novo na vida depois de ter falhado?

Meu exemplo favorito de recuperação de um *high-side crash* é Simão Pedro, um dos apóstolos de Jesus. Na área de acidentes ele é o campeão! Contudo, Deus lhe deu o poder para recomeçar. Pedro tornou-se um grande campeão de Cristo, um dos maiores de todos os tempos, e também um dos fundamentos da igreja. Se fizermos uma reconstituição do acidente de Pedro, três lições surgirão, as quais são tão relevantes para nós quanto foram para ele. Quando as forças da vida nos atingem com vigor e então batemos e caímos, é bom saber que nosso Deus é o Deus das segundas chances e que ele nos quer dar o poder para começarmos outra vez. Não é apenas o poder para um recomeço; é também o poder para voltar à pista e andar mais rápido que nunca.

Vale a pena refletir

Quando foi a última vez que você se envolveu num acidente sério? Como você lidou com ele? De que maneira esse impacto continuou influenciando sua vida? Como afetou seu relacionamento com aqueles a quem ama? E seu relacionamento com Deus?

LIÇÕES DA PERDA

Se você precisa de poder para recomeçar, então deve aprender com as perdas. A chave para aprender essa lição, tomar posse dela e ativá-la é admitir humildemente as falhas. Pedro foi um dos primeiros membros da equipe de corrida de Cristo. De fato, Jesus mudou seu nome de Simão para Pedro, que significa "rocha". Jesus disse: "Você vai ser o capitão da equipe, minha âncora, minha base. Vou construir toda a equipe em volta de você. Você é a rocha. Você é o campeão, Pedro" (cf. Mt 16.17-18).

Do mesmo modo que nós muitas vezes fazemos, Pedro exagerou na confiança. Na noite em que Jesus reuniu a equipe no cenáculo, no dia anterior à grande corrida, ele os advertiu: "Essa vai ser a corrida mais difícil de sua vida. As condições do circuito serão as piores que já viram. Isso será diferente de tudo. Os saltos serão maiores, as curvas mais fechadas e, antes de tudo acabar, todos vocês vão derrapar". Mas Pedro disse: "Eu não. O Senhor não se lembra? Eu sou a rocha. Sou o campeão. Não vou me acidentar. O Senhor pode contar comigo. Estarei com o Senhor até a bandeirada final. Não me importo com a altura dos saltos. Não dou a mínima para as curvas fechadas. Não quero saber da condição do circuito. O senhor pode contar comigo. Estarei ali, ao seu lado, até o fim" (cf. Mt 26.31-33).

Mas, então, o que aconteceu? Logo que foi dada a largada, Pedro derrapou. E foi um acidente do tipo *high-side crash*, ou seja, a queda foi muito feia. E não foi uma falha qualquer com seu amigo — Pedro até mesmo negou que o conhecesse. Ele ficou com medo, perdeu o controle e negou Jesus três vezes. E tudo piorou ainda mais. Havia um espectador especial na arquibancada: "Então o Senhor se voltou e olhou para Pedro. E Pedro se lembrou das palavras dele: 'Hoje, antes que o galo cante, você me negará três vezes'. E Pedro saiu dali, chorando amargamente" (Lc 22.61-62).

Jesus não precisou dizer uma palavra sequer a Pedro. O Senhor simplesmente olhou para ele, e Pedro se lembrou de como se havia orgulhado de sua lealdade poucas horas antes. Jesus olhou diretamente para o coração dele e viu o arrependimento, a culpa, a vergonha. Não condenou seu amigo nem lhe disse aos berros algo como "Eu não disse?", como provavelmente nós faríamos. Ele olhou para Pedro com compaixão e não falou uma palavra sequer.

Assim como Pedro, algumas pessoas estão no meio do local do acidente. Talvez seja um acidente no casamento, com os filhos e até mesmo com os pais, um acidente nos negócios ou na área emocional. Jesus não precisa dizer uma palavra sequer. Ele simplesmente olha com misericórdia direto para o coração. Ele vê a culpa, o arrependimento e a vergonha. Mas ele de fato diz algo. Ele diz que, por causa do poder do amor que tem por você, o fracasso nunca é final. Por causa do poder da cruz — o derradeiro sacrifício que gera poder sobre a morte — as fraquezas, os fracassos e todo o egoísmo nunca conseguem nos deixar para baixo. O fracasso nunca é fatal. Temos o Deus da segunda chance, e ele deseja dar-nos o poder de começar de novo.

Preciso admitir meus pecados para poder ser perdoado. Preciso admitir os fracassos para aprender com eles. "Quem oculta seus pecados não prospera; quem os confessa e os abandona recebe misericórdia" (Pv 28.13). Quando admitimos nossas falhas, recebemos outra chance. Quando assumimos a responsabilidade por nossos fracassos, sem culpar outras pessoas, Deus perdoa e nos dá o poder de começar de novo.

E mais: você também deve livrar-se da culpa. Deixe que ela se vá! Depois que um piloto derrapa, é importante que ele volte para a motocicleta o mais rápido possível para que supere seus medos. É a versão motocross de subir no cavalo de novo. Talvez você ache que está longe demais da trilha de Deus para sua vida neste momento, não sendo mais possível voltar. Você cometeu muitos erros, fez várias escolhas egoístas e desapontou muitas pessoas. Sua impressão é que a corrida acabou num acidente horroroso.

Tenho boas notícias para você: prepare-se para uma corrida maravilhosa. Deus diz: "Agora vão e digam aos discípulos, incluindo Pedro, que Jesus vai adiante deles à Galileia" (Mc 16.7). O que o anjo disse foi o seguinte: "Ele está vivo. Ele não está aqui. Vocês precisam dizer aos discípulos que ele está vivo e, olhem, não se esqueçam de Pedro. Lembrem-se de que Pedro ainda faz parte do grupo. Ele ainda é um dos discípulos. Não se esqueçam dele".

Jesus sabia que Pedro estava totalmente arrebentado e achava que Deus jamais o usaria outra vez. Ele acreditava que havia estragado tudo e que a corrida tinha terminado para ele. Cristo queria que ele soubesse: "Pedro, eu ainda tenho uma corrida para você. Sei como está se sentindo, mas você ainda está incluído. Ainda tenho um plano para sua vida. Vou lhe dar o poder de começar de novo, de voltar a ser um grande campeão para mim". Deus lhe diz a mesma coisa hoje: "Não me esqueci de você. Tenho uma grande corrida para você. Levante-se e vamos em frente!".

Vale a pena refletir

Qual foi a lição mais difícil que você aprendeu com algum acidente da vida? De que maneira o aprendizado dessa lição fortaleceu seu caráter e sua fé?

O PODER DA NEGAÇÃO

Depois de aprender com suas perdas e livrar-se da culpa, o passo seguinte de Pedro foi render-se à força de Deus. É como se Pedro tivesse percebido que estava usando o combustível errado — algo que agravou o problema de seu motor e gerou aquele acidente terrível. Assim como Pedro, para recomeçar precisamos render-nos ao poder de Deus. Mas render-se significa abrir mão — entregar-nos à maneira dele de fazer as coisas. Jesus explicou isso do seguinte modo: "Se alguém quer ser meu seguidor, negue a si mesmo, tome diariamente sua cruz e siga-me" (Lc 9.23). Jesus diz que devemos negar a nós mesmos para encontrar satisfação. Preciso optar por abandonar meu jeito e seguir o plano e o propósito de Deus para minha vida se quiser mesmo ficar satisfeito e ter a vida abundante que ele prometeu.

Isso é exatamente o oposto do que ouvimos todos os dias no mundo ao nosso redor. Precisamos trocar de mantra — de *satisfazer* a mim mesmo para *negar* a mim mesmo. Pedro negou a Cristo e se acidentou. Mas, quando aprendeu a negar a si mesmo, tornou-se um campeão. Você entende a relação? A cada dia chego a um ponto no qual percebo que não consigo prosseguir. Vejo-me querendo envolver-me com meus filhos, mas me sinto cansado. Sinto-me egoísta. Quero ser um cônjuge melhor, mas não tenho o amor necessário. Quero fazer diferença no trabalho, mas muitas vezes falta ânimo. Todos os dias chego a um ponto em que caio exausto e digo: "Deus, não consigo fazer isso. Desisto". E Deus diz: "Finalmente. Tenho esperado muito por isso. Agora posso envolver-me e dar-lhe meu poder e minha força".

Quando nos entregamos a Deus como a fonte de todo poder na vida, vemos resultados que jamais poderíamos alcançar sozinhos, não importa quanto nos esforçássemos. Vamos fracassar sempre em nossas tentativas de mudar se fizermos tudo por nossa conta, sozinhos. Deus tem muito mais recursos a nossa disposição — combustível ilimitado num circuito incrível que nem podemos imaginar. É o plano que Deus tem para você, a corrida que ele traçou para você. Você foi planejado para seguir por esse caminho a toda velocidade!

PARA A VIDA TODA

1. Faça uma lista de tudo o que impede você de confiar plenamente a vida a Deus: desapontamentos e feridas do passado, perdas, dúvidas e assim por diante. Depois pergunte a si mesmo o que seria preciso para você confiar que Deus, de algum modo, é capaz de usar essas coisas para cumprir o propósito que ele tem para você. Dedique um minuto de oração para cada item e peça ajuda para descartá-lo.
2. Qual é seu maior temor quando se trata de confiar a vida completamente a Deus? Em que se baseia esse medo? Escreva como você enfrentaria esse medo se tivesse apenas um mês para viver.
3. Quando fracassamos e tentamos voltar para a pista, ajuda bastante conversarmos com uma pessoa em quem confiamos. Marque um café com um amigo e compartilhe em que ponto do circuito da fé você se encontra.

PRINCÍPIO 2

Amar completamente

Dia 9

O "x" da questão

Relacionando-se em vez de esperar

É vaidade desejar viver muito e descuidar-se de viver bem.

Tomás de Kempis

A medida de uma vida, afinal, não é sua duração, mas sua doação.

Corrie ten Boom

No final das contas, os relacionamentos são tudo o que realmente importa. Não importa quanto dinheiro temos, onde vivemos ou o tamanho de nossa linda coleção de brinquedos. Nada disso nos conforta, consola, chora conosco ou nos ama. O investimento que fazemos nas pessoas com quem nos importamos é o único legado que pode perdurar além da vida aqui na terra.

Ao mudarmos para nossa segunda seção e nos concentrarmos em amar completamente, vamos examinar o impacto do estilo de vida de um mês para viver sobre nosso relacionamento com Deus e com os outros. Deus nos planejou para termos um relacionamento vertical — com ele — e horizontal — com as pessoas ao nosso redor. Ainda que tenhamos um profundo desejo de comunhão com a família, com os amigos e com outros grupos, todo mundo enfrenta problemas ao se relacionar com os outros. Expectativas, decepções, traições, mágoas, mentiras, mal-entendidos — há muitos obstáculos para amarmos as pessoas e sermos amados por elas. Mesmo assim, fomos criados para os relacionamentos e se tivéssemos apenas um mês para viver ficaríamos muito preocupados com eles.

Se você já perdeu um ente querido, sabe como é importante resolver qualquer problema pendente com alguém. Pode ser algo simples como expressar quanto vocês se amam ou complicado como discutir o impacto de uma vida de erros e pedir perdão. Seja como for, a solução passa a ser prioridade — então, se necessário, são feitas mudanças na agenda, viagens longas e conversas sobre o que está no fundo do coração.

Se seu tempo estivesse acabando, você certamente gostaria de estar mais próximo das pessoas que mais valoriza. Gostaria de passar momentos com elas, dizer-lhes tudo o que quisesse para permitir que conhecessem seu eu verdadeiro. Desejaria deixar-lhes lembranças, palavras e um investimento pessoal que permaneceria depois de sua partida.

Hoje, porém, vivemos tão ocupados que manter relacionamentos íntimos — mesmo com o cônjuge e familiares próximos — é desafiador. Trabalhamos longas horas para atender às necessidades das pessoas que amamos, para lhes dar o conforto e os benefícios que talvez nós mesmos não tenhamos tido. Contudo, deixamos de passar um tempo de qualidade com elas. Podemos dar-lhes presentes caros e férias maravilhosas, mas temos dificuldade para dedicar-lhes nosso tempo e nossa atenção exclusiva.

Então, por que não vivemos como se os relacionamentos fossem o mais importante? Por que esperamos as pessoas morrerem para lhes enviar flores? Ironicamente, a maioria das pessoas valoriza muito os relacionamentos, mas não investe neles plenamente. No ritmo alucinante de nossa vida cheia de compromissos, muitos de nós tendem a não valorizar a companhia dos outros. O cônjuge torna-se simplesmente mais um parceiro, um colega de quarto que nos ajuda com as finanças. Os filhos se transformam em pessoas que atrapalham nossa agenda quando precisam que os levemos à escola, ao clube ou ao shopping center. As reuniões de família tornam-se obrigações sociais, como a festa de Natal ou o aniversário de alguém. Se tivéssemos apenas um mês para viver, logo perceberíamos quanto precisamos das outras pessoas, assim como elas precisam de nós.

Vale a pena refletir

Se tivesse apenas um mês para viver, com quem você gostaria de passar esse tempo? A quem você teria de pedir desculpas? Quem precisa ter certeza de seu amor? O que o impede de fazer isso tudo agora?

ESTUDOS SOCIAIS

Se ainda temos uma vida inteira pela frente, é tentador deixarmos de dar valor às pessoas. Queremos proteger nosso coração das complicações envolvidas nos relacionamentos e desejamos afastar-nos daquilo que acontece sob a superfície. Nós nos tornamos fortes e independentes, e não confiamos em ninguém a não ser em nós mesmos. Não importa quanto conseguimos isolar-nos e proteger-nos dos outros, pois essa atitude vai contra nossa natureza básica. Certamente algumas pessoas são extrovertidas e outras introvertidas, mas todos nós fomos planejados como seres relacionais, criaturas sociais que desejam participar de alguma coisa. Foi assim que Deus nos criou — à sua imagem.

Duas verdades fundamentais sobre a existência humana podem ser encontradas no Antigo Testamento. Na história da criação do homem e da mulher, aprendemos que precisamos mais do que apenas nós mesmos, e parece que muito mais do que apenas nosso relacionamento com Deus. "O SENHOR Deus disse: 'Não é bom que o homem esteja sozinho. Farei alguém que o ajude e o complete'" (Gn 2.18). Desse modo, Deus providenciou Eva para se juntar a Adão no jardim.

Você conhece o resto da história — o fruto proibido, a sedução da serpente, a expulsão do jardim. E também o mais surpreendente de tudo: Adão e Eva estavam juntos nisso. "A mulher viu que a árvore era linda e que seu fruto parecia delicioso, e desejou a sabedoria que ele lhe daria. Assim, tomou do fruto e o comeu. Depois, deu ao marido, que estava com ela, e ele também comeu" (Gn 3.6). Eles foram parceiros no crime e, ao optar por desobedecer a Deus, abriram a porta para o pecado e nunca mais foram os mesmos. Eles se tornaram pais da condição humana — a natureza egoísta que todos nós herdamos. Como Adão e Eva, queremos ser como Deus e seguir nosso próprio caminho. O ponto de transição que eles vivenciaram no jardim plantou as sementes da discórdia, e desde então os relacionamentos nunca mais foram os mesmos.

Vale a pena refletir

Quem foi a pessoa que mais o desapontou na vida? Como você lidou com isso? Cultivou culpa, distância, negação, perdão? Reagiu de alguma outra forma? De que modo a dor e a decepção afetaram seus outros relacionamentos?

O PREÇO DO AMOR

Fomos planejados para ter intimidade social e emocional com aqueles que estão ao nosso redor, mas nossos desejos estão contaminados pela inclinação egoísta de querer ser o centro de tudo. Basicamente essas duas forças permanecem em conflito por toda a vida. Queremos amar as pessoas, ser conhecidos, considerados e amados em retribuição. Mas as pessoas nos decepcionam, nos ferem e, na maioria das vezes, não reagem da maneira que esperamos. Assim, decidimos viver na defensiva, dizendo a nós mesmos que não precisamos de fato das pessoas, muito embora nosso coração diga o contrário. Madre Teresa disse que a solidão é a pior das pobrezas. Ela estava certa — sem amor, estamos emocionalmente falidos.

O amor não pode ser comprado, mas tem um preço alto, chamado sacrifício. Amar sempre significa arriscar-se a sentir dor. Até mesmo no melhor dos relacionamentos existe algum senso de perda potencial que nos assombra — talvez a simples possibilidade de que a outra pessoa venha a morrer um dia, deixando-nos sozinhos. Amamos alguém, casamos e então descobrimos como um relacionamento tão íntimo pode ser doloroso. Muitos já sentiram a terrível dor de perder os pais. Os filhos em quem você investiu sua vida crescem e, por fim, vão embora. Nossos amigos mais próximos trocam de emprego e se mudam para um estado distante. Não deixamos de amar nenhuma dessas pessoas, mas sentimos dor porque não podemos mais estar com elas da maneira como gostaríamos. A dor é, assim, parte inerente de qualquer relacionamento significativo.

Para amar outras pessoas, suportar as dores do coração e compartilhar vidas, é preciso um amor maior que o nosso. Precisamos sentir a plenitude do amor de Deus para que possamos morrer para nossos desejos egoístas e nos entregar livremente aos outros. Temos de olhar primeiro para Deus. Ainda que tenhamos sido feitos para precisar dos outros, as pessoas jamais satisfarão nosso desejo de ser amados como Deus nos ama. Ele demonstrou seu amor de uma maneira que mudou para sempre a história e continua a mudar um número incalculável de vidas.

O maior sacrifício de amor da história foi a morte de Cristo sobre a cruz. Deus permitiu que seu único Filho se tornasse mortal — a Palavra se fez carne — e então suportasse a mais terrível, dolorosa e humilhante morte possível: a crucificação. O amor de Deus por nós é de fato incompreensível. Nosso amor tem limites, mas o amor de Deus não. É completamente incondicional, sem nenhuma restrição.

O sacrifício de Deus me faz lembrar a história de um homem que operava uma ponte levadiça sobre uma baía numa pequena cidade litorânea. Todo dia ele caminhava até a cabine ao lado da ponte, onde controlava uma alavanca. Ao puxá-la, a ponte com seus trilhos se erguia, e enormes navios passavam pelo vão. Então, ao empurrar a alavanca para baixo, a ponte levadiça baixava, ligando novamente os trilhos para que o trem pudesse passar sobre ela em segurança.

Quase todos os dias seu filho pequeno ia trabalhar com ele — o menino adorava ver o pai levantar e baixar a ponte. Certo dia, quando estavam juntos, o pai recebeu um aviso via rádio informando que um trem não programado estava a caminho e que ele precisava baixar a ponte. Ele olhou pela janela enquanto segurava a alavanca e viu seu filho pequeno lá fora, brincando nas enormes engrenagens da ponte levadiça perto da praia. Ele gritou, mas seu filho não pôde ouvi-lo por causa de toda a emoção e do barulho da água.

O homem saiu correndo da cabine de controle na direção do filho para tentar pegá-lo e puxá-lo para um lugar seguro, mas então se deu conta da terrível situação. Se não empurrasse a alavanca naquele exato momento, o trem cairia na água e centenas de passageiros morreriam; se baixasse a ponte, porém, seu filho seria morto. No último segundo ele tomou a difícil decisão: correu de volta para a cabine de controle e empurrou a alavanca, caindo de joelhos em agonia enquanto seu filho pequeno era esmagado até a morte. Com lágrimas escorrendo pela face, o homem olhou para fora e viu o trem seguindo em segurança pela ponte. Ele pôde ver pela janela de um dos vagões-restaurante que as pessoas estavam comendo, bebendo e rindo, ignorando totalmente o grande sacrifício que ele havia feito simplesmente para que pudessem viver.

A maioria de nós não tem a mínima consciência do grande sacrifício que Deus fez. Ele deu seu único Filho, que veio a esta terra e morreu por nós para nos perdoar a culpa do passado, dar-nos um propósito para o presente e um futuro que inclui a vida eterna. Ao pensar no que significa entregar-se de modo sacrificial àqueles que estão ao seu redor, talvez você devesse primeiro pensar em quanto Deus se sacrificou por você. Minha oração por quem está lendo estas palavras é a mesma que Paulo expressou em sua carta à igreja de Éfeso: "Peço que, como convém a todo o povo santo, vocês possam compreender a largura, o comprimento, a altura e a profundidade do amor de Cristo. Que vocês experimentem esse amor, ainda que seja grande demais para ser inteiramente compreendido" (Ef 3.18-19).

Seu problema não é que você não ama suficientemente a Deus. É que você não entende quanto ele o ama. Se entendesse apenas um pouco quanto Deus o ama, você lhe entregaria todas as áreas da vida. Deus teria dado seu único Filho e mandado que ele viesse a este mundo para morrer na cruz mesmo que você fosse a única pessoa da terra. Se você fosse o único passageiro naquele trem, ele ainda assim baixaria a ponte — à custa de seu único Filho — para transpor o abismo que existe entre você e ele. O amor de Deus por você é grande assim.

Tendo o amor de Deus como base, você pode descobrir um novo poder na maneira de se relacionar com os outros. É possível ser livre para ser você mesmo, sem buscar nas pessoas validação, aprovação ou permissão. Ao mesmo tempo, você vai aliviar os outros da pressão de serem mais significativos para você do que é humanamente possível. Se você for capaz de pôr fim ao excesso de compromissos e de prioridades invertidas, aceitando o fato de que o tempo que lhe resta na terra é limitado, poderá ter mais intimidade na vida do que já experimentou até agora.

PARA A VIDA TODA

1. Faça uma lista das pessoas que você gostaria de ver e com quem gostaria de compartilhar se soubesse que só lhe restaria um mês de vida. Quais passos específicos seriam necessários para entrar em contato com essas pessoas e compartilhar seus sentimentos? Pode ser algo tão simples como marcar um encontro com o cônjuge ou planejar uma reunião com um amigo próximo.
2. Pense numa pessoa a quem você magoou com palavras, atos ou indiferença. Escreva uma carta pedindo-lhe perdão, explicando tudo o que gostaria de dizer a ela antes que seja tarde demais. Guarde a carta por alguns dias, depois releia e decida se deve enviá-la ou não.
3. Analise sua agenda pelos próximos dois ou três dias. Ainda que esteja muito ocupado, ache um tempo para surpreender alguém a quem você ama. Leve um amigo a seu restaurante favorito. Pegue as crianças na escola e vá a um parque. Apanhe seu cônjuge no trabalho e leve-o a um café. Encontre uma maneira de acrescentar conexões de qualidade a seu cotidiano.

Dia 10

Oceano

Explorando as profundezas do perdão

Quem não consegue perdoar destrói a ponte sobre a qual terá de passar.

George Herbert

Quem é destituído do poder de perdoar não tem poder de amar.

Martin Luther King Jr.

Quando vou à praia, percebo que muitas pessoas visitam o litoral, mas não entram na água. Ficam simplesmente deitadas em toalhas e esteiras, assando e dando emprego aos dermatologistas. Outras entram no mar e brincam um pouco, chegando talvez a ficar com a água na cintura, mas nunca se aventuram muito longe da areia. Também existem os que levam a coisa mais a sério. Colocam máscara, pés de pato e respirador e, aparentemente, vão até o fundo. Mesmo assim, estão apenas na superfície.

Eu e minha família gostamos muito de mergulhar e alguns anos atrás fizemos um curso de mergulho. Seja para ver navios naufragados ou tubarões (bem, talvez não tubarões para mim!), gostamos muito de explorar o mundo subaquático que cobre mais de dois terços da superfície da terra. Aprendi logo de início que um mergulhador pode descer com segurança até cerca de quarenta metros. Num primeiro momento isso parece fundo, mas pense um pouco. O lugar mais profundo dos oceanos é a Fossa das Marianas, com quase onze mil metros de profundidade. São onze quilômetros para baixo. E nós podemos mergulhar apenas quarenta metros! Mesmo com submarinos, a maior parte do oceano é profunda e vasta demais para ser explorada.

O amor de Deus é semelhante. Normalmente brincamos apenas um pouco na superfície, mas Deus oferece um nível completamente diferente de profundidade na vida. Se tivesse apenas um mês para viver, aposto que a maioria das pessoas acabaria aventurando-se em águas mais profundas, percebendo que a única maneira de estar em paz é confessar os pecados e sentir o perdão e a misericórdia que ele tão gratuitamente nos oferece.

Os pecados, as falhas e os fracassos não desaparecem sozinhos — ou nós os confessamos, ou os suprimimos. No cotidiano atribulado, é fácil suprimir erros e negá-los. Mas, se tivéssemos o final em vista, perceberíamos que não há como esperar muito mais tempo. A chave para a maneira como vivemos nesta terra resume-se basicamente a como experimentamos o perdão e a como o estendemos a quem está ao nosso redor.

Vale a pena refletir

Se você tivesse apenas um mês para viver, pelo que pediria perdão? A quem? A quem precisaria perdoar?

ABAIXO DA SUPERFÍCIE

Um mergulhador de águas profundas em um traje pressurizado e especialmente planejado pode descer muito mais fundo — cerca de trezentos metros — do que se estivesse usando apenas uma roupa comum e tanques de oxigênio. A Oração do

Senhor funciona da mesma maneira. Ela nos permite ir muito mais fundo e, assim, chegar ao cerne do que mais importa: o perdão. Talvez você já a saiba de cor, mas considere a maneira como Jesus a explica:

> Portanto, orem da seguinte forma:
>
> Pai nosso que estás no céu,
> santificado seja o teu nome.
> Venha o teu reino.
> Seja feita a tua vontade,
> assim na terra como no céu.
> Dá-nos hoje o pão para este dia,
> e perdoa nossas dívidas,
> assim como perdoamos os nossos devedores.
> E não nos deixes cair em tentação,
> mas livra-nos do mal.
> Pois teu é o reino, o poder e a glória para sempre. Amém.
>
> Seu Pai celestial os perdoará se perdoarem aqueles que pecam contra vocês. Mas, se vocês se recusarem a perdoar os outros, seu Pai não perdoará seus pecados.
>
> Mateus 6.9-15

Por mais familiar que seja essa passagem, com que frequência realmente consideramos o que estamos orando? Nós realmente queremos que Deus responda à parte em que oramos "Perdoa nossas dívidas, assim como perdoamos os nossos devedores"? Quero realmente que Deus me perdoe da mesma maneira como perdoo os outros? Todos nós queremos ser perdoados, mas quando se trata de perdoar os erros cometidos contra nós, a história é diferente. A ferida que dói, a profundidade da dor, da traição, da decepção — é muito difícil conceder perdão.

É como tentar ver claramente nas profundezas do mar. Para ver qualquer coisa abaixo da superfície do oceano, você precisa de uma máscara. Para perdoar alguém, é preciso ver abaixo da superfície também. Na superfície não há razão lógica para perdoar alguém que me feriu. Mas quando olho por baixo da superfície, a Bíblia me dá algumas boas razões para perdoar.

A primeira é que Cristo ordena isso. Se você dedicou a vida a conhecer e seguir a Jesus, sabe que o perdão não é uma ficção. Paulo disse com todas as letras: "Lembrem-se de que o Senhor os perdoou, de modo que vocês também devem perdoar" (Cl 3.13). Na Bíblia, o perdão não é uma simples sugestão. Se você quer seguir a Jesus, lembre-se de que perdoar é uma ordem. Por mais difícil e emocionalmente desafiador que seja o perdão, todos nós temos de praticá-lo. Devemos escolher fazê-lo — repetidamente, se necessário. Nossos sentimentos e as consequências das injúrias que sofremos podem permanecer, mas somos ordenados a perdoar por uma simples razão: nossa própria sobrevivência depende disso.

Se tentar chegar ao fundo do oceano sem traje adequado para esse tipo de mergulho, você não sobreviverá. Quanto mais fundo desce, mais pressão seu corpo sente — pois a água, naturalmente, é mais densa que o ar. Se você continuar a descer, sofrerá tanta pressão que seus pulmões entrarão em colapso e seu corpo será esmagado.

Do mesmo modo, você não vai sobreviver se tentar viver sem perdoar. É essencial que perdoemos para nosso próprio bem; do contrário, vamos nos afogar em amargura. Quanto mais fundo você mergulhar no oceano do ressentimento, mais sentirá a pressão e o estresse. Por fim, a pressão ficará tão grande que seus relacionamentos, sua alegria e sua saúde serão esmagados. As pesquisas realizadas nas áreas médica e psicológica revelam que a amargura e o ressentimento têm efeitos devastadores. Achamos que, se nos agarrarmos a nossas feridas, estaremos retribuindo à pessoa que nos feriu. Mas isso só nos causa mais sofrimento. Se quisermos desfrutar a vida plenamente, devemos livrar-nos da amargura.

Vale a pena refletir

Como você tem sentido os resultados da amargura na vida? Quais foram as consequências físicas? Qual o impacto atual da amargura sobre você? De que maneira ela está relacionada a sua habilidade de perdoar e ser perdoado?

NÃO PRENDA A RESPIRAÇÃO

A regra número um do mergulho é nunca prender a respiração. Os instrutores ensinam isso aos alunos porque, quando estamos em águas profundas e respiramos por meio de um tanque de oxigênio, o ar naturalmente enche os pulmões. Se a pessoa prende a respiração enquanto está subindo para a superfície, o ar se expande, distendendo os pulmões e ferindo a pessoa. Não seria uma experiência agradável sentir seus pulmões explodindo embaixo d'água! É por isso que os instrutores de mergulho constantemente lembram seus alunos que eles nunca devem prender a respiração.

A regra número um para mergulhar fundo na vida é nunca reter a amargura. Lembre-se de que, na maioria dos casos, não desenvolvemos uma ferida purulenta da noite para o dia. Ela, em geral, começa com uma pequena inflamação que cresce e se transforma numa grande infecção. Muitas vezes os frutos da amargura são plantados com as sementes da ira. "Acalmem a ira antes que o sol se ponha, pois ela cria oportunidades para o diabo" (Ef 4.26-27). Paulo disse que jamais devemos reter a ira por um período maior que 24 horas. Por quê? Porque se você permitir que a ira sobreviva por mais de um dia, ela se transforma: a ira se torna amargura. Se não expirar ressentimento, você acabará explodindo.

Expiramos a ira e a amargura quando somos honestos sobre nossos sentimentos, tanto em relação aos outros quanto em relação a Deus. Nem sempre gostamos de admitir que estamos feridos, que uma pessoa conseguiu ofender-nos. O orgulho serve de combustível para a dissimulação, embora por dentro estejamos fervendo. Se nossa ira não for trabalhada, ela logo se transformará em amargura maligna.

Às vezes não se trata de sermos feridos por outras pessoas; estamos furiosos com Deus. Pensamos assim: "Deus, estou irado com o Senhor por ter permitido isso. O Senhor poderia ter impedido isso porque é todo-poderoso, mas o Senhor deixou acontecer e, assim, em última análise, o Senhor é o responsável". Então, suprimimos nossos sentimentos porque pensamos que não devemos ficar irados com Deus. Mas Deus é suficientemente grande para lidar com nossa ira! Além do mais, de qualquer maneira, ele sabe que estamos bravos com ele. Eu costumava achar que, se admitisse que estava irado com Deus, ele provavelmente me atingiria com um raio. Ele não faz isso. Ele nos ama da maneira como somos, e quer que derramemos nosso coração diante dele, que admitamos nossos sentimentos e digamos: "Deus, estou bravo. Estou irado. Estou irritado com isso. Por que o Senhor permitiu essas coisas? Não entendo!".

Precisamos expressar nossos sentimentos a Deus e orar dizendo: "Deus, confio que o Senhor sabe o que é melhor. O Senhor sabe que estou muito bravo e, portanto, perdoe-me e ajude-me a me curar". Quando você faz isso, o processo de cura se inicia. Foi isso o que aconteceu na vida de Davi. Em Salmos 32.5 ele disse: "Finalmente, confessei a ti todos os meus pecados e não escondi mais a minha culpa. Disse comigo: 'Confessarei ao SENHOR a minha rebeldia', e tu perdoaste toda a minha culpa". Quando revelo meu coração a Deus, a cura se inicia. Exalo a amargura e, então, posso inspirar o perdão.

Não sentimos vontade de perdoar as pessoas que nos magoam, mas tudo bem. O perdão não tem nada a ver com o que sentimos. Perdoamos porque tomamos uma decisão consciente e dizemos a Deus: "Eu perdoarei essa pessoa por meio de teu poder, Senhor, porque o Senhor me ordenou isso e porque isso é para meu próprio bem". Então, cinco minutos depois, quando a ferida retornar à mente, podemos repetir essa oração quantas vezes for necessário. Alguém observou certa vez, com muita sabedoria, que perdoar é libertar um prisioneiro e, então, descobrir que o prisioneiro era você.

Deus diz que você precisa perdoar para seu próprio bem, porque a amargura bloqueia a bênção que ele deseja derramar sobre sua vida. Se você se abrir para Deus ao perdoar e orar por aqueles que o feriram, as bênçãos fluirão novamente. A cura de sua alma começa a acontecer. Jesus foi nosso maior exemplo de alguém que respira perdão. Em um de seus últimos suspiros na cruz, ele orou dizendo: "Pai, perdoa-lhes, pois não sabem o que fazem" (Lc 23.34). É daí que vem o poder para perdoar — da percepção de que recebemos o perdão primeiro, por meio do sacrifício de Cristo na cruz.

SOLTE A ÂNCORA

Ninguém dá aquilo que não recebe. Sabemos que recebemos perdão, mas não entendemos de fato a profundidade da misericórdia de Deus, o que dificulta o ato de perdoar outras pessoas. Se eu conseguir entender um pouco como Cristo me perdoou, será muito mais fácil perdoar os outros que me feriram.

Quando não pedimos nem abraçamos o perdão que tão livremente nos é dado, começamos a afundar. Pense nisso — nossos erros, pecados e fracassos do passado — como uma grande âncora que nos puxa para baixo. Algumas pessoas estão de tal modo acostumadas a arrastar essa âncora de culpa atrás de si que dificilmente se lembram que ela existe. Todavia, seus efeitos são devastadores — ansiedade, depressão, insônia, hipertensão e úlceras. A culpa pode envenenar todas as áreas de sua vida.

A boa notícia é que, por causa do presente de Deus, você não tem de arrastar por aí a âncora da culpa que o leva para baixo. "Voltarás a ter compaixão de nós; pisarás nossas maldades sob teus pés e lançarás nossos pecados nas profundezas do mar" (Mq 7.19). Quando você leva sua âncora de culpa a Deus, ele a remove de você e a lança no mais profundo oceano de seu perdão.

Enquanto não sentir a plenitude da graça e do perdão de Deus, você nunca será capaz de perdoar plenamente os outros. Nunca estará em paz nem perceberá o que ele tem para você e para sua vida. Nunca sentirá as bênçãos que ele deseja derramar sobre você. Perdoar não é fingir que você não foi de fato magoado, não é suavizar a ofensa. Perdoar não é uma experiência rasa; significa mergulhar fundo na honestidade e verdadeiramente dizer: "O que você fez me magoou profundamente, mas escolhi perdoá-lo pelo poder de Deus".

Perdoar de fato é como nadar em um oceano muito profundo, como jamais poderíamos imaginar. Significa sentir uma onda de amor que lava nossos pecados, nossa culpa e nossa amargura. Se tivesse apenas um mês para viver, você não gostaria de ser levado para além das águas rasas, na direção do profundo oceano purificador do perdão?

PARA A VIDA TODA

1. Faça uma lista das pessoas que você precisa perdoar. Escreva a ofensa — aquilo que elas fizeram que o magoou — ao lado do nome da pessoa. Depois faça uma lista de todas as pessoas a quem você precisa pedir perdão. Ao lado de cada nome, descreva resumidamente como você a feriu. Finalmente, passe um tempo em confissão diante de Deus. Peça que o poder de Cristo o lave, banhando-o com o perdão de Deus que capacita a perdoar os outros.
2. Escreva uma carta a Deus e derrame tudo sobre ele. Fale de tudo aquilo que o tem deixado irado, tudo o que você guarda contra ele, bem como todas as coisas com as quais está preocupado. Seja honesto e confie que ele saberá lidar com qualquer coisa — tudo mesmo — que você despejar sobre ele, por mais sombria, desesperada ou questionadora que seja. Então, peça que ele cure seu coração enquanto você rasga a carta.
3. Escolha uma linda fotografia, uma concha ou outra coisa que represente um oceano. Coloque-a num lugar de destaque como lembrete para pedir a Deus seu perdão e perdoar diariamente aqueles que estão a sua volta.

Dia 11

Evereste

Escalando os obstáculos para chegar à unidade

Precisamos orar com os olhos em Deus, não nas dificuldades.
Oswald Chambers

Sei que Deus não me dará nada com o que eu não possa lidar. Só desejo que ele não me confie coisas demais.
Madre Teresa

Gosto muito de assistir aos programas sobre alpinistas que tentam escalar o monte Evereste. Fico muito intrigado com aquelas pessoas que arriscam tudo para alcançar o lugar mais alto da terra. Esses caras enfrentam ventos a uma temperatura de -40°C, podem ter os dedos das mãos e dos pés congelados, mal conseguem respirar, mas fazem tudo para chegar ao topo. Assisto a tudo isso comendo salgadinho, sentindo-me absolutamente exausto, como se estivesse lá com eles, arriscando a vida.

O monte Evereste tem mais de 8.800 metros de altura, mas ao alcançar 8.000 entra-se no que os especialistas chamam de zona da morte. Ali, a altitude é elevada demais para sustentar a vida humana. O corpo é incapaz de se aclimatar a um nível tão baixo de oxigênio, de modo que, se permanecer muito tempo na zona da morte, você morre. Foi o que aconteceu com um alpinista em maio de 2006. Ele foi deixado pelos colegas na zona da morte enquanto estes seguiam até o topo do Evereste. As pessoas que passavam por ali percebiam que ele estava com dificuldades, mas presumiam que aquele homem era parte de outra equipe e que alguém viria resgatá-lo.

Pouco tempo depois dessa tragédia, outro alpinista, Lincoln Hall, foi encontrado na zona da morte. Ele foi resgatado por um grupo de quatro alpinistas e onze xerpas, que desistiram da própria tentativa de chegar ao cume para ajudar Hall e levá-lo para baixo. Mais tarde, Hall recuperou-se plenamente. O que fez a diferença entre a sobrevivência de um e a morte de outro? Trabalho altruísta em equipe.

Esse tipo de trabalho é raro nos dias de hoje. Com as superestrelas dos esportes buscando glória e os líderes corporativos recebendo todo o crédito, é raro ver uma equipe unida e eficaz. Há muitos compromissos individuais em jogo, o que termina prejudicando a meta que interessa à equipe como um todo. Quer seja uma equipe esportiva, uma amizade, um sócio, quer um casamento, muitos relacionamentos chegam ao fim porque é difícil relacionar-se bem com os outros. Cada um tem compromissos e motivações próprias que impedem a comunicação clara e uma aproximação a outras pessoas.

Se tivéssemos nossos dias contados para deixar esta terra, procuraríamos meios de construir pontes, de promover cura e desfrutar nossos relacionamentos mais importantes. Ninguém deseja partir deixando assuntos pendentes para trás. Queremos deixar nossos entes queridos somente depois de atingir o auge de nossos relacionamentos, o que só é possível se tivermos coragem para amar.

Vale a pena refletir

Qual seu nível de satisfação em seus relacionamentos mais importantes neste exato momento?

Como você descreveria cada um deles — excelente (nunca estivemos tão próximos), ok (nossa relação é boa, mas existe uma certa tensão), difícil (estamos em conflito e sempre brigamos) ou péssima (não vai dar certo)? O que o impede de caminhar e chegar ao ponto onde deseja estar em cada um desses relacionamentos?

CORDILHEIRA RELACIONAL

Sabemos que sair do lugar onde estamos e chegar aonde realmente queremos estar exige uma difícil escalada. Pela minha experiência e daqueles a quem tenho aconselhado, parece existir três montanhas que costumam impedir a unidade nos relacionamentos.

A primeira é a montanha da incompreensão. A maioria dos relacionamentos não tem força para subir além dela. Conceitos errados e altercações acumulam-se rapidamente e chegam a alturas enormes. No início, tudo parece positivo num relacionamento. Vocês estão subindo juntos por uma trilha tranquila, bem perto um do outro e então — *TUM!* — deparam com uma enorme pedra de incompreensão que parece tirar os dois do rumo.

Essa situação pode transformar-se facilmente na zona da morte para a unidade no relacionamento. No casamento, bastam apenas alguns meses (às vezes, apenas umas poucas semanas!) para chegar ali. É o momento em que você emerge do estágio da lua de mel e percebe que não se casou com uma pessoa perfeita. Ou sua fonte de conflito pode estar numa sociedade comercial, em que vocês pareciam compartilhar a mesma visão corporativa, mas, depois do surgimento de um conflito, percebem que não pensam do mesmo jeito. Em vez de se apegar ao ideal — ou seja, que seu cônjuge, seu amigo ou seu sócio é a pessoa certa e que vocês sempre se entenderiam —, você deve entender que as divergências de opinião são naturais e inevitáveis em todo relacionamento. Não podemos ler a mente das pessoas, por mais que elas sejam parecidas conosco. Somos humanos, portanto, os problemas de comunicação e de interpretação são inevitáveis.

Outra montanha que devemos escalar nos relacionamentos é a atitude do "eu primeiro". É típico da natureza humana dizer: "Vou satisfazer suas necessidades depois que você satisfizer as minhas". Isso acontecia quando meus filhos disputavam o banco da frente no carro ou quando quero ficar com o controle remoto da televisão; todo mundo quer receber aquilo que deseja sem pensar nas necessidades dos outros. A atitude do "eu primeiro" leva as outras pessoas à zona da morte, enquanto nós egoisticamente tentamos chegar ao cume.

É claro que essa atitude cria um conflito comum e constante. Precisamos aprender a ceder e descobrir soluções criativas que satisfaçam as necessidades de ambas as partes. Se realmente amamos alguém, será mais fácil mudar nossa agenda — não nos tornando mártires, mas tendo um diálogo aberto sobre o que está em jogo, sobre como as pessoas se sentem e como podem mudar.

A terceira e última montanha dessa cordilheira rochosa é a mais mortal: a montanha dos erros. Assim como temos incompreensões e o desejo de nos colocar em primeiro lugar, temos falhas e fazemos coisas erradas. Muitos relacionamentos são abandonados para sempre na montanha dos erros. Já fomos feridos pelas ações ou palavras de outra pessoa. Quando se é ferido num relacionamento, é fácil se preservar e se recusar a ir além na trilha porque a montanha é muito íngreme. Você quer proteger seu coração para não se decepcionar de novo. Mas essa atitude só vai levá-lo para baixo por outro caminho, de volta à montanha do "eu primeiro", e assim, em pouco tempo, o distanciamento será tão grande que o relacionamento acabará.

Essas três montanhas emolduram a paisagem de todo relacionamento. Podemos ficar assustados com a subida, achando o desafio intransponível, e acabar desistindo. Podemos, no entanto, tornar-nos o tipo de pessoa que sabe o que é necessário para superar os obstáculos e continuar subindo. Nenhum de nós quer realmente desistir e, se tivéssemos apenas um mês para viver, isso estaria mais claro que nunca. Para realmente amarmos as pessoas que fazem parte de nossa vida, precisamos superar esses picos relacionais, aprender a superar os erros e olhar além de nossos próprios interesses. Precisamos desenvolver a disposição e a habilidade de nos entregarmos àqueles a quem amamos, motivando-os a permanecer na trilha conosco e fortalecendo-os para que perseverem mesmo quando não estivermos mais com eles.

Não é fácil — os relacionamentos não são para medrosos. Eles exigem ajuda sobrenatural: o poder de Deus para amar. Mas o suprimento é ilimitado e o preço de seus recursos nunca sobe. Na verdade, são gratuitos.

Vale a pena refletir

Qual dessas três montanhas — incompreensão, "eu primeiro" ou erros — levou você a sair recentemente da trilha em seus principais relacionamentos? Como você lidou com a situação? O que mudaria se tivesse outra chance?

A CORDA DA ACEITAÇÃO

A Bíblia revela estratégias para tornar as montanhas relacionais pequenas e transponíveis. Para perseverar e melhorar nossos relacionamentos, devemos primeiro nos prender à corda da aceitação. Os alpinistas usam uma técnica com cordas chamada amarração. Trata-se de prender um alpinista com uma corda para que ele não tenha uma queda acentuada se escorregar nas pedras. De maneira similar, não podemos escalar as novas alturas em segurança se não estivermos presos à corda da aceitação. "Portanto, aceitem-se uns aos outros como Cristo os aceitou, para que Deus seja glorificado" (Rm 15.7). Um de nossos maiores problemas nos relacionamentos é que sempre tentamos mudar aqueles com quem nos relacionamos. Aceitar as pessoas significa parar de tentar mudá-las e começar a entendê-las.

É fácil falar, não é mesmo? Com certeza. Contudo, depois de tantos anos de casamento, aprendi um segredo valioso: *aceitação significa parar de tentar mudar meu cônjuge e começar a estimá-lo.* Não terei realmente aceitado alguém se ainda estou empenhado em mudar aquela pessoa. Estimar alguém significa valorizá-lo o suficiente para tentar entendê-lo. No meu caso, para ser honesto, não é natural aceitar totalmente as pessoas com quem convivo. Minha inclinação egoísta leva-me a tentar mudá-las e fazer que se pareçam mais comigo. É sobrenatural aceitar as pessoas de minha vida como são, trabalhar meus próprios problemas e falhas de caráter e confiar que Deus vai lidar com os outros. À medida que ele nos dá poder para aceitar uns aos outros, aprendemos a verdadeiramente nos prender à corda da aceitação e subir juntos para locais mais elevados.

TRAÇÃO COM AÇÃO

Com a aceitação, ganhamos tração por meio de ações amorosas. Nada é mais importante para os alpinistas do que a tração das botas. Não adianta nada ter todos os outros equipamentos se você não estiver com o calçado correto. Você nunca conseguirá subir por um terreno difícil. O ingrediente básico para relacionamentos fortes são as pequenas ações amorosas, todas aparentemente sem importância, mas que significam muito para a outra pessoa. Se você for incoerente, dizendo às pessoas quanto elas são importantes, mas sem demonstrá-lo por ações amorosas, os relacionamentos vão oscilar. A clareza e a segurança que suas ações amorosas trazem às pessoas de sua esfera de convivência não podem ser subestimadas, pois constituem a tração que os levará ao cume.

Todo alpinista sabe também a importância de estar amarrado à rocha para evitar uma queda. É um ponto de conexão seguro que dá proteção. Em nossos relacionamentos, esse ponto de ancoragem é o perdão. É a ação amorosa que mantém o crescimento e o amadurecimento com o passar do tempo. Os melhores relacionamentos são construídos sobre o perdão porque envolvem pessoas imperfeitas que cometem erros. Cinco palavras mantêm você seguro durante a escalada da montanha dos erros: "Sinto muito. Você me perdoa?".

Obstáculos — incompreensões, egoísmo, erros — fazem parte de todo relacionamento, mas podemos superá-los e estar cada vez mais próximos daqueles a quem amamos se estivermos dispostos a praticar a aceitação, as ações amorosas e o perdão contínuo. Esse tipo de comportamento exige que o amor sobrenatural de Deus flua em nós, ajudando-nos a ir além das inclinações e expectativas naturais. Deus está mais do que disposto e sempre disponível para nos ajudar a amar os outros como ele nos ama. Com o equipamento correto que Deus provê, podemos compartilhar a visão do cume e desfrutar a escalada.

PARA A VIDA TODA

1. Faça um diagnóstico e anote o que você acha que cada relacionamento importante de sua vida precisa ter para ser mais saudável. Pode ser algo simples como passar mais tempo juntos, discutir uma questão importante ainda não abordada ou enviar uma carta ou mensagem dizendo que você está pensando naquela pessoa.
2. Como você expressa seu compromisso com aqueles a quem ama? Sua tendência é dizer mais do que mostrar ou mostrar mais do que dizer? Os psicólogos dizem que costumamos favorecer um método em detrimento do outro — dizemos o que sentimos, mas talvez não demonstremos muito, ou então demonstramos de maneira consistente e presumimos que as ações falam por nós. Determine qual estilo você mais adota e pratique o outro ainda hoje com a pessoa a quem mais ama.
3. Dedique hoje um tempo em oração por todas as pessoas que considera essenciais em sua vida. Peça que Deus lhe revele como pode melhorar seus relacionamentos com essas pessoas tão importantes.

Dia 12

Ringue de boxe

Resolvendo os conflitos por meio de uma luta justa

O oposto do amor não é o ódio, mas a indiferença.

Elie Wiesel

Eles podem esquecer o que você disse, mas nunca esquecerão como você os fez sentir-se.

Carl W. Buehner

Por ter crescido assistindo às lutas de Mohamed Ali e os filmes da série *Rocky, um lutador*, aprendi a admirar os lutadores de boxe — pela força, agilidade, resistência e determinação. Há algo que me fascina na maneira como eles encaram a luta, de modo que um dia visitei a academia de boxe de Lee Canalito, no centro de Houston, onde treinei boxe com Ray Sugaroso. Seu objetivo era me preparar para que eu conseguisse passar alguns rounds no ringue com um dos melhores lutadores da academia. Meu objetivo era evitar danos permanentes em meu corpo de meia-idade!

Sobrevivi, mas desenvolvi um respeito completamente novo pelos boxeadores. Embora meus adversários tenham pegado leve comigo, um deles me deu um soco no queixo que me deixou com dor de cabeça pelo resto da semana. Aprendi que, enquanto for apenas um bom lutador, muito provavelmente não irei a Las Vegas para competir por um título mundial. Verdade seja dita: eu realmente não tinha a menor ideia do que era o boxe antes que Ray e sua equipe me levassem para o ringue.

Assim como eu não imaginava como era lutar boxe, a maioria das pessoas não sabe como resolver conflitos. O conflito é inevitável nos relacionamentos; quando duas pessoas únicas e imperfeitas se reúnem, elas simplesmente não concordarão em tudo. Por isso é tão importante aprender a lidar efetivamente com as questões de relacionamento. Ninguém nos ensina de fato a enfrentar e resolver os impasses que a vida inevitavelmente traz, sobretudo no casamento. Acho que deveria haver uma lei para que, antes de se casar, todo mundo tivesse aulas sobre solução de conflitos. Até mesmo nas amizades, no trabalho em equipe, nas comissões e na família em geral é difícil saber quando ficar firme em suas posições e quando jogar a toalha. Se tivesse apenas um mês para viver, você certamente gostaria de saber como enfrentar essas questões tão persistentes e resolver os conflitos com aqueles a quem ama.

LUTA JUSTA

A Bíblia nos fornece os princípios para uma luta justa. Embora meu desejo seja concentrar-me em como aplicá-los ao relacionamento com o cônjuge, eles também se aplicam às sociedades, aos colegas de trabalho e aos amigos. Esses princípios não são garantia de que você vencerá ou sempre estará certo quando surgir uma desavença, mas garantem que você ficará mais próximo daqueles a quem ama pelo processo de confrontação do conflito.

Há uma orientação que parece muito simples, embora seja a mais difícil de seguir: permaneça dentro do ringue e longe das cordas. Às vezes o conflito fica um pouco tenso e confuso, mas em nossos relacionamentos mais importantes é preciso ter coragem suficiente para permanecer no ringue até chegarmos a uma solução, não importa quanto tempo leve. Se realmente amamos alguém, devemos reunir todas as forças para confrontar e sofrer as emoções desagradáveis que surgem com o conflito. São sentimentos muito fortes e difíceis, e nos esforçamos ao máximo para evitá-los. A reação típica dos homens é fugir quando são confrontados com emoções fortes, pois se sentem incomodados diante delas. Consequentemente, alguns saem da zona de combate quando os problemas começam a aparecer, pois querem evitar uma discussão a qualquer custo. Poucas coisas são mais frustrantes para uma mulher do que o momento em que seu marido foge de um conflito e vai para sua caverna, onde fica distante, desligado e desinteressado.

Todos nós já inventamos táticas de gerenciamento de conflito que refletem nossos temperamentos e nossas experiências, ou mesmo o exemplo que tivemos em casa. A maioria já adotou um dos seguintes cinco estilos básicos de luta. O primeiro é o que chamo de lutador *rope-a-dope*, um estilo inventado por Mohamed Ali quando estava no auge. No calor da luta, ele se apoiava e ficava balançando nas cordas, protegendo-se sem dar nenhum soco. Seu oponente pensava: "Ele está cansado — vou pegá-lo agora". Então, ia para as cordas e começava a socá-lo. Mas esse boxeador não estava na verdade machucando Ali. O fato é que ele só gingava nas cordas conservando toda a energia, enquanto seu oponente ficava frustrado movendo os braços diante dele. Por fim, o adversário se cansava de tanto bater.

Os lutadores do estilo *rope-a-dope* resolvem as lutas com a técnica "de jeito nenhum", e são os que dizem "de jeito nenhum você me fará lutar". Eles evitam o atrito, se recusam a se envolver e se afastam quando os ânimos se alteram. Sua regra número um é evitar a briga a qualquer custo. Você já entendeu qual é o problema. Evitar o conflito pode até produzir uma paz frágil, mas arruína o relacionamento, mantendo-o raso e baseado no medo. Sem a solução, o relacionamento permanece no nível superficial e nunca chega à intimidade que nasce do enfrentamento de questões difíceis.

Existe também o rei do nocaute, aquele cujo lema é "ou é do meu jeito ou não é de jeito nenhum". Esses boxeadores relacionais lutam até vencer, e a outra pessoa desistir. O rei do nocaute diz: "Estou sempre certo, e quero que seja do meu jeito o tempo todo". Embora os reis do nocaute normalmente vençam, seus relacionamentos caem no chão e se inicia a contagem, pois a outra pessoa não tem voz e, um dia, abandona a luta.

Em seguida vem o lutador desistente. Esses lutadores jogam a toalha muito cedo. São sempre os primeiros a desistir. Tornam-se capacho, mártires, rolam pelo chão e fingem-se de mortos. Isso produz uma falsa paz e, por fim, cria uma tremenda amargura na pessoa que sempre desiste e um perigoso orgulho naquela que sempre ganha. Não é uma maneira sadia de lutar.

O quarto é o lutador um-dois. Ele usa a solução do tipo "toma lá dá cá". Você ganha metade, e eu metade. Em alguns momentos, eu desisto; em outros, você desiste. Esse estilo pode ser mais saudável e mais eficaz que os outros, uma vez que pelo menos há a disposição de permanecer no ringue e a expectativa de que qualquer um pode ganhar.

Contudo, o melhor estilo é o do parceiro de treinamento, o *sparring*, na linguagem do boxe. Nele a pessoa se dedica a fazer parte da equipe e ajudar seu colega. Os parceiros de treinamento permanecem no ringue e fora das cordas. Por mais desagradável que seja a situação, eles permanecem juntos até chegar a uma solução que ambos julgam a melhor. Os parceiros de treinamento percebem que o relacionamento é mais importante que o problema em discussão e entendem que o processo geralmente é mais vital que o resultado.

Se lhe restassem poucos dias de vida, você não gostaria de alcançar a paz real com aqueles a quem ama? A única maneira é permanecer no ringue e resolver qualquer conflito antes que seja tarde demais. Pela minha experiência com pessoas que sabem que seu tempo é limitado, pude concluir que esse é um dos maiores presentes que você pode dar àqueles a quem ama.

Vale a pena refletir

Que tipo de lutador você é? Como acha que seu estilo se desenvolveu? Como você descreveria o jeito de seus pais lidarem com os conflitos? Como o estilo deles influenciou o seu? Se tivesse um mês para viver, o que você mudaria na maneira de lidar com os conflitos? Por quê?

REGRAS BÁSICAS

Se nosso desejo é permanecer no ringue para que o relacionamento cresça, então devemos lutar de forma justa. No boxe, o juiz chama os dois lutadores ao centro do ringue e diz: "Ok, vamos ter uma luta justa. Aqui estão as regras básicas: não vale bater abaixo da cintura, pôr o dedo no olho, dar cabeçada e", no caso de Mike Tyson ser um dos lutadores, "é proibido morder". As regras foram lançadas e estabelecem as expectativas e ações de ambos os lutadores.

Antes de lutar com seu parceiro ou com alguém importante para você, estabeleça as regras básicas, alguns limites que não poderão ser excedidos. Antes de ter um confronto com um colega de trabalho, é preciso lembrá-lo de que ambos estão comprometidos em buscar uma solução juntos, e não em encontrar um bode expiatório. Antes de dispor-se a resolver uma questão com um amigo, é preciso reafirmar o compromisso que você tem com ele e com sua amizade. Seu amigo precisa saber que você está disposto a suportar os sentimentos desagradáveis que acompanham a confronto porque você valoriza o relacionamento e deseja preservá-lo.

No começo da luta, os boxeadores colocam um protetor bucal para servir de anteparo para os golpes. Também nós devemos colocar uma proteção em nossa boca. Paulo nos apresenta o principal protetor bucal em sua carta aos efésios: "Evitem o linguajar sujo e insultante. Que todas as suas palavras sejam boas e úteis, a fim de dar ânimo àqueles que as ouvirem" (Ef 4.29). As palavras são capazes de cortar fundo e a ferida pode permanecer aberta e inflamada por vários anos. Devemos dispor-nos a assumir o controle de nossa língua, sobretudo no calor da luta, se quisermos construir um relacionamento que perdure depois do conflito. Sabe-se que a verdadeira arte da conversação não consiste apenas em dizer a coisa certa no momento certo, mas também em aprender a não falar a coisa errada nos momentos em que se sentir tentado a fazê-lo. Isso não significa evitar o cerne do conflito. Não podemos ignorá-lo nem negligenciá-lo, mas, quando agimos honestamente, revelamos nossos verdadeiros sentimentos, o que pode gerar algumas faíscas. Por isso, combine logo no início que algumas palavras devem ser evitadas. Numa discussão com seu cônjuge, não fale aquela palavra que começa com "D", ou seja, divórcio, usando-a como uma granada. Expresse a intensidade de seus sentimentos sem usar linguagem impura ou abusiva. Palavras desse tipo simplesmente obstruem a verdadeira comunicação, impossibilitando que o conflito seja resolvido.

Depois de colocar o protetor bucal, a próxima regra básica para uma luta justa é não atacar. Aprenda a atacar as questões sem atacar o outro. Nunca diga: "Você fez isso. É tudo culpa sua. Você só sabe mentir". Quando culpamos ou acusamos alguém, suas barreiras se erguem, e vocês não vão chegar a lugar algum. A reconciliação nunca será alcançada enquanto ambos estiverem na ofensiva. Lançar mísseis sobre essas barreiras fará que ambos fiquem ainda mais separados, em vez de permitir que se aproximem.

Em vez de atacar, tente controlar os sentimentos. Se os dois aceitarem a responsabilidade pelos erros, agirão como parceiros, crescendo juntos, e deixarão de ferir-se e arrepender-se depois. Portanto, comece com seus sentimentos. Ninguém pode descartar os próprios sentimentos, pois são válidos simplesmente por serem seus. O segredo é expressá-los sem deixar que se tornem a razão do conflito.

Outra estratégia é evitar trazer coisas do passado para o conflito presente. Pode ser muito tentador desenrolar a lista de ofensas, injustiças e decepções registradas durante todo o período do relacionamento com a outra pessoa. Isso simplesmente desvia a atenção do problema. Decida concentrar-se na questão imediata e permanecer nela até que se chegue a uma solução. Se você adotar um tom histórico, não se surpreenda se a outra pessoa adotar um tom histérico.

Essas são regras básicas, algumas orientações a serem estabelecidas com antecedência. Empenhe-se em lutar de modo justo. Você se surpreenderá ao notar que é possível alcançar uma solução mais depressa e fortalecer o relacionamento. Permaneça no ringue, enfrente a luta e concentre-se em lutar de modo justo.

Vale a pena refletir

É comum você ter uma luta justa com aqueles a quem ama? Quais regras básicas são mais difíceis de seguir? Ou, em outras palavras, com que frequência você costuma dar um golpe abaixo da cintura? Como os outros têm reagido a essa prática?

DECISÕES DIVIDIDAS

No casamento, é fundamental permanecer no ringue, lutar segundo as regras e obter uma solução do tipo "nossa", ou seja, que seja boa para ambos e fortaleça o relacionamento. Mas, de vez em quando, é possível enfrentar uma situação em que não se chega a um acordo. Nessas situações, concentre-se mais na reconciliação e menos na resolução. Lembre-se de que seu relacionamento é mais importante que chegar a um acordo em tudo. Portanto, discorde cordialmente.

Vocês podem andar juntos sem que haja um acordo mútuo o tempo todo. "Mas a sabedoria que vem do alto é, antes de tudo, pura. Também é pacífica, sempre amável e disposta a ceder a outros. É cheia de misericórdia e é o fruto de boas obras. Não mostra favoritismo e é sempre sincera" (Tg 3.17). Os relacionamentos maduros são capazes de lidar com as raras lutas em que há decisões divididas. Em dado momento ficará claro que existem coisas com as quais vocês nunca concordarão. Não importa quanto os dois amem o Senhor e quanto estejam apaixonados um pelo outro; vocês nunca concordarão em tudo porque Deus os fez diferentes. Não é uma questão de certo ou errado. É uma questão de ver a vida a partir de perspectivas diferentes.

Se ambos desejarem manter a mente aberta e aceitar o ponto de vista do outro, continuarão a respeitar-se mesmo quando concordarem em discordar. Isso não é um comprometimento, pelo menos não do tipo negativo, nem um tipo de remendo em que se concorda em discordar simplesmente para manter a paz e seguir adiante. As decisões divididas aceitam e até mesmo apreciam a perspectiva individual que cada um traz para o conflito.

O mais importante é trazer o Príncipe da Paz para o ringue. São necessárias três pessoas para construir um excelente casamento: um marido, uma mulher e Deus. Você não traz Deus simplesmente para seu lado e diz: "Deus, ajude-me a vencer essa discussão". Não, você o convida para participar da situação como um todo porque ele é o único que pode satisfazer suas mais profundas necessidades. Trazê-lo para a luta não significa tornar-se passivo e complacente. Jesus ficou irritado e expressou suas emoções, mas, sendo o perfeito Filho de Deus, nunca pecou. Isso mostra que não há problema com a ira. Ela não é necessariamente pecado; de fato, às vezes a ira é a emoção mais apropriada que se pode ter diante de um relacionamento verdadeiramente importante. Mas devemos estar dispostos a lidar com a ira e analisá-la da maneira como Jesus fez, ou seja, a fim de realizar a vontade de seu Pai, por meio do amor aos outros. A chave é aprender a caminhar com Deus diariamente. Eis o verdadeiro segredo da reconciliação, da vitória sobre o conflito, da luta justa: tornar-se mais semelhante a Jesus.

PARA A VIDA TODA

1. Descreva o último grande conflito que você teve com alguém a quem ama. Imagine que você seja um espectador ou um comentarista e analise a luta. Foi uma luta justa?

As regras básicas foram mantidas? Como você descreveria o estilo dos lutadores? Quem venceu o combate? Foi uma vitória limpa?

2. Qual de seus relacionamentos atuais envolve conflitos que exigiriam que você entrasse no ringue se soubesse que tem apenas um mês para viver?
3. Passe um tempo em oração pedindo que Deus lhe mostre quando e como você espera que outra pessoa satisfaça as necessidades que somente ele pode satisfazer. Peça a Deus que lhe dê o que você mais precisa dele.

Dia 13

Lixa

Aparando as arestas

Lembre-se de que todas as pessoas que você conhece temem alguma coisa, amam alguma coisa e perderam alguma coisa.

H. Jackson Brown Jr.

As únicas pessoas às quais você deve tentar dar o troco são aquelas que o ajudaram.

John E. Southard

Durante a leitura do capítulo anterior talvez você tenha pensado: "Sim, tudo isso é muito bom para resolver conflitos. Mas você não tem ideia de com quantas pessoas tenho de lidar que simplesmente me irritam, e muitas são da minha própria família. Amo essas pessoas, mas elas me deixam maluco". Não importa nosso esforço, muitos de nós sempre teremos de lidar com pessoas difíceis de amar e de se relacionar bem. É da natureza humana. Mas, se tivéssemos um mês de vida, gostaríamos de entender além das questões superficiais que nos irritam. Para melhorar nossos relacionamentos, devemos repensar a maneira como os entendemos.

Sabe-se que lixar é muito útil no trabalho com madeira ou no acabamento de móveis. Mas esfregar uma lixa na pele não é muito agradável, além de ser abrasivo e doloroso. Certamente há pessoas na vida que também causam dor e irritabilidade. Elas nos irritam e nos chateiam.

É possível encontrar pessoas desse tipo todos os dias no trabalho. Algumas talvez até vivam com você, em sua própria casa! Muitas vezes as pessoas a quem mais amamos são as que mais nos irritam. Mas com que frequência você também pensa em como irrita as pessoas ao seu redor? Talvez a pessoa-lixa em sua família e entre seus amigos seja você mesmo. A realidade é que *todos* nós somos pessoas-lixa. Todos nós irritamos os outros de vez em quando, e isso é parte do plano de Deus para nossa vida.

Sim, você leu corretamente. Pessoas-lixa são parte do plano de Deus para sua vida. Ele permite que pessoas-lixa entrem em sua vida para transformá-lo numa ferramenta mais afiada para os propósitos dele. Paulo explica: "Porque somos criação de Deus realizada em Cristo Jesus para fazermos boas obras, as quais Deus preparou antes para nós as praticarmos" (Ef 2.10). No original grego, a palavra traduzida como "criação" tem o sentido de "uma obra de arte ou uma obra-prima". Deus está transformando você na ferramenta perfeita para realizar os planos maravilhosos que ele tem para você.

Isso muda totalmente a maneira como vemos os relacionamentos que nos perturbam. Eles existem para nosso próprio bem, para aparar as arestas e nos tornar mais semelhantes a Cristo. Isso soa maravilhosamente espiritual, mas o problema é: como lidamos com todas as outras ferramentas guardadas no galpão? Parece que algumas pessoas nos aborrecem por mais que tentemos conviver com elas. Se elas fossem um pouco mais parecidas conosco, desfrutaríamos completa harmonia, não é? Além de ser absolutamente irreal, esse "benefício" roubaria de nós a oportunidade de nos tornarmos o que Deus deseja que sejamos.

Vale a pena refletir

Quem são as pessoas-lixa de sua vida neste momento — alguém de sua família, um colega de trabalho, um chefe, um funcionário, um amigo ou um vizinho? Com que frequência você precisa interagir com essas pessoas? Como você costuma relacionar-se com elas?

PROVAÇÕES NA CAIXA DE FERRAMENTAS

A Bíblia apresenta um princípio orientador para aprendermos a nos relacionar bem com as pessoas-lixa e termos um impacto duradouro em nossos relacionamentos. Não é fácil, mas a adoção desse princípio pode mudar profundamente a dinâmica dos relacionamentos. Se não for para tolerar, mas sim crescer em nossos relacionamentos-lixa, precisamos ter a perspectiva do Carpinteiro sobre as pessoas e realizações. Temos de ver as pessoas difíceis em nossa vida sob uma nova luz.

O primeiro passo nesse processo é identificar de que modo as pessoas nos aborrecem. Embora cada indivíduo seja único e todo relacionamento seja especial, descobri que há algumas maneiras gerais de ver os relacionamentos irritantes. O primeiro grupo me lembra uma trena: são aquelas pessoas que sempre dizem que você está aquém do que deveria. São perfeccionistas insaciáveis que se sentem impelidas a estabelecer padrões para todas as pessoas. Não se cansam de medir, mesmo sabendo que os outros nunca chegarão ao ponto que desejam. Em resumo, elas julgam as outras pessoas por seus próprios padrões de retidão.

Outro tipo de pessoa é o martelo. Os martelos costumam ter a sutileza de um trator, impondo seus desejos aos outros e abrindo caminho a força. Em torno das pessoas-martelo, os outros pisam em ovos, porque nunca sabem quando elas vão cair sobre sua cabeça! Geralmente são expansivas e exigentes, ou sutis e manipuladoras, mas são obstinadas em usar a força da própria vontade para conseguir o que desejam.

Depois vêm aqueles que parecem ter a habilidade natural de cortar os outros. São as pessoas-serra. Numa discussão, elas sabem exatamente o que dizer para ferir você com maior intensidade. Suas palavras podem ser sarcásticas ou diretas, mas sempre têm o poder de cortar fundo e deixar os outros sangrando, caídos no chão. As serras sempre ganham as discussões — não por estarem certas, mas porque cortam o outro num ponto que o enfraquece.

Você tem alicates de pressão em sua vida? Você sabe, aquelas pessoas que o apertam e não sabem quando largar? Elas são extremamente carentes e costumam sugar a vida dos que estão ao redor. Desconhecem limites sociais e relacionais, e saltam de crise em crise, precisando de constante apoio e encorajamento. Um alicate de pressão se prende a você e afeta todos os outros relacionamentos.

Na caixa de ferramentas da vida também encontramos o esmeril, aquela pessoa com personalidade explosiva que espera para entrar em cena e jogar faíscas para todo lado. Com o esmeril, está o machado, aquele tipo de pessoa que arranca enormes pedaços por onde passa. Tendem a ser negativas, sempre reclamando e procurando maneiras de cortar as esperanças e os planos dos outros. Suas primas, as machadinhas, normalmente cortam pedaços menores, mas apegam-se a feridas passadas e provocam dor mais prolongada. Você adivinhou: elas não sabem como acabar com um assunto.

Por último, mas não menos importante, estão as pessoas-massa. São aquelas que não têm consistência, destituídas de espinha dorsal. Desejosas de agradar e sempre cordatas, mudam como camaleões sem deixar que você saiba como na verdade são ou pensam. A pessoa-massa sempre diz sim, mesmo que se sinta muito pressionada.

Quando classificamos as pessoas dessa maneira, ficamos tentados a pensar: "Como consigo me relacionar com tantas ferramentas irritantes na oficina?". Ou talvez você pense que fiz a mais perfeita descrição de sua família! Seja qual for o caso, devemos aprender a enxergar além dos danos que cada uma dessas ferramentas pode causar e descobrir como construir um futuro significativo juntos.

Vale a pena refletir

Pense de novo nas pessoas-lixa de sua lista no início deste capítulo. De que maneira cada uma delas se encaixa nos diversos tipos de ferramenta? Quais ferramentas mais irritam você? Por quê?

A PERSPECTIVA DO CARPINTEIRO

Não conheço ninguém que seja normal. Você não é normal, eu não sou normal. Todos nós somos únicos. Não há outra pessoa no mundo como você. Embora sejamos muito diferentes, estamos todos na mesma caixa de ferramentas. No entanto, em vez de trabalharmos juntos para construir relacionamentos duradouros, como Deus deseja, muitas vezes somos tentados a criticar. É sempre mais fácil apontar as falhas e os defeitos de outra pessoa em vez de procurar as próprias deficiências.

Veja o que Jesus fala sobre isso:

"Por que você se preocupa com o cisco no olho de seu amigo enquanto há um tronco em seu próprio olho? Como pode dizer a seu amigo: 'Deixe-me ajudá-lo a tirar o cisco de seu olho', se não consegue ver o tronco em seu próprio olho? Hipócrita! Primeiro, livre-se do tronco em seu olho; então você verá o suficiente para tirar o cisco do olho de seu amigo.

Mateus 7.3-5

Temos a visão aguçada para encontrar ciscos nos olhos de qualquer pessoa. Conseguimos enxergar aquela pequena partícula — o erro, o problema, o pecado ou a falha de caráter na vida de outra pessoa — e mal conseguimos esperar para apontar aquilo. E aí exclamamos: "Você realmente tem um problema aqui!". "Mas", diz Jesus, "eis o verdadeiro problema. Você está tentando tirar o cisco do olho de outra pessoa, embora tenha um tronco no próprio olho". O que mais se vê por aí são pessoas com troncos nos olhos: "Cara, você viu que problema na vida daquelas pessoas? Ainda bem que não sou como elas!". Estão de tal modo determinadas a apontar o cisco nos olhos dos outros que se esquecem totalmente dos troncos presos à própria vida.

Observe que Jesus não diz que devemos ignorar o cisco. Muitas pessoas consideram hoje que estão julgando ao apontar um pecado. Não se trata disso. Devemos olhar o cisco nos olhos de uma pessoa e ajudá-la com o poder de Cristo. Nosso papel não é julgar, mas ser agentes de cura. Mas às vezes dizemos à pessoa: "Sabia que você tem um cisco no olho? Vou ajudá-la com isso", e aí acertamos a cabeça dela com o tronco que está grudado em nosso próprio olho e ela responde: "Agradeço, mas dispenso sua ajuda. Prefiro ter um cisco no olho a ser atingida pelo tronco na cabeça".

Em família, somos muito rápidos em apontar as falhas dos outros e desprezar as gritantes fraquezas de nossa vida.

Descobri que, se me concentrar em minhas próprias deficiências e deixar que Deus me dê coragem para enfrentar minhas faltas, falhas de caráter e erros, não terei urgência em ajudar os outros a ver seus próprios ciscos. Se eu deixar de tentar mudar todo mundo e me esforçar para que Deus me mude, as pessoas em minha vida se tornarão muito mais acessíveis.

A FORÇA DO CISCO

Quando se coloca serragem sob pressão e calor intenso, ela se torna um sólido material de construção conhecido como aglomerado. Encontramos esse material em muitos móveis domésticos, mas não percebemos do que ele é feito. Resistente, forte e pesado, muitas vezes é usado em construções.

De maneira similar, Deus permite algumas pessoas-lixa e provações da caixa de ferramentas em nossa vida por uma razão: aumentar o calor e a pressão para ficarmos mais fortes. Ele está muito mais interessado em nosso caráter do que em nosso conforto. Paulo descreve o "processamento de serragem" da seguinte maneira: "Também nos alegramos ao enfrentar dificuldades e provações, pois sabemos que contribuem para desenvolvermos perseverança, e a perseverança produz caráter aprovado, e o caráter aprovado fortalece nossa esperança" (Rm 5.3-4).

Por mais incômodo e perturbador que possamos considerar o processo, Deus coloca intencionalmente algumas pessoas em nossa vida para nos chatear, para aparar as arestas de nosso caráter e nos tornar mais semelhantes a Jesus. É parte do plano de Deus fazer que meu caráter seja mais forte e firme, por isso ele permite que pessoas e pressão moldem meu caráter. Até mesmo nossos críticos podem nos ensinar e ajudar a crescer. Devemos ser seletivos e não absorver todas as críticas que nos são colocadas, mas não devemos sempre desprezá-las. Em vez disso, sou adepto da abordagem da goma de mascar: mastigue e jogue fora — não engula. Aproveite as críticas ao mastigá-las, absorvendo os cerca de 10% que são válidos, aprendendo com eles e cuspindo os outros 90%. Não engula a crítica inteira, mas permita que seu sabor o ajude a crescer.

Deus deseja que você aprenda com as pessoas-lixa de sua vida. Ele as colocou ali por uma razão. Alguns têm um martelo na vida. Você já parou para pensar que Deus pode ter permitido a presença desse martelo para que você aprenda a ser forte e o enfrente em vez de fraquejar e agir como um capacho? Talvez Deus esteja tentando transformá-lo num líder mais forte ao dar-lhe a oportunidade de enfrentar um martelo, ainda que o enfrentamento seja incômodo.

Talvez haja uma trena em sua vida. Já pensou que Deus pode ter permitido aquela trena para que você aprendesse a buscar aprovação nele, em vez de na pessoa-trena? Deus nos lembra de que devemos ser humildes e confiar nele quando nos virmos agitados por causa da ira, do medo ou da irritação. Para entendermos os relacionamentos a partir de uma nova perspectiva, precisamos reconhecer o benefício positivo que Deus pretende gerar em nossa vida por meio deles. Da próxima vez que alguém enfrentar você, pare um instante e faça a Deus algumas perguntas: "O que o Senhor está tentando me ensinar? O que o Senhor está tentando construir em meu caráter? O que o Senhor está tentando me mostrar sobre liderança? O que o Senhor está tentando me mostrar sobre a vida?".

Para finalizar, você vê as pessoas difíceis em sua vida a partir de uma perspectiva completamente nova não apenas quando percebe que Deus teve um motivo para colocá-las em seu caminho, mas também ao notar que ele teve um motivo quando colocou você na vida delas. Deus deseja revelar àquelas pessoas um pouco do amor, da paciência e da misericórdia dele. Você pode ser a única face de Jesus que elas venham a conhecer. Deus deseja surpreendê-las com o amor dele de uma maneira que só você pode fazer.

PARA A VIDA TODA

1. Leia novamente a descrição dos vários tipos de ferramenta. Qual delas descreve melhor a maneira como você às vezes se relaciona com as pessoas? Você é um martelo, uma serra, um machado ou outra coisa? A verdade é que a maioria de nós é uma ferramenta multiuso e reage de maneiras diferentes dependendo do contexto e de nossa química com as pessoas. Avalie como seus diferentes relacionamentos geram diferentes reações, defensivas e ofensivas.
2. Com que frequência você aponta problemas na vida de alguém — raras vezes, ocasionalmente, muitas vezes? O que costuma motivar suas observações? Passe um tempo em oração pedindo que Deus o ajude a remover as vigas de sua própria vida antes de falar sobre os ciscos na vida de outra pessoa.
3. Descreva uma pessoa de seu convívio que o irrita constantemente. Como você se relacionou com ela no passado? Se soubesse que tem apenas um mês para viver, o que gostaria de dizer-lhe? O que o impede de dizer hoje?

Dia 14

Presente

Agradecendo às pessoas de sua vida

A gratidão libera a plenitude da vida. Ela torna suficiente o que temos e muito mais. Transforma negação em aceitação, caos em ordem, confusão em clareza. Pode transformar uma refeição num banquete, uma casa num lar, um estranho num amigo.

Melody Beattie

Só podemos dizer que estamos vivos nos momentos em que nosso coração tem consciência de nossos tesouros.

Thornton Wilder

O gosto da torta de maçã quentinha, o cheiro do mato depois da chuva, o burburinho das crianças ao redor da árvore de Natal, o pôr do sol nas montanhas, o contato da areia nos pés, os momentos especiais vividos em torno de uma deliciosa refeição com a família e os amigos.

A maioria das pessoas que sabe que seus dias estão contados compreende a importância de sensações muitas vezes desprezadas. Elas sabem o que significa acordar cada dia com o coração agradecido. Já vi homens e mulheres que sofriam terríveis dores crônicas sorrir enquanto bebiam o café da manhã ou seguravam a mão do cônjuge. Estavam imensuravelmente gratos por mais um dia, por outra oportunidade de abraçar a vida em cada detalhe.

Falamos muito sobre gratidão em nossa cultura, mas é difícil praticá-la. A concepção mental de consumo instigada pela mídia e pela propaganda, somada à tendência humana de comparação, impede que alcancemos esse ponto. Ouvimos — e com frequência acreditamos — que não temos o suficiente. Somos condicionados a aceitar automaticamente que o próximo aparelho eletrônico, o próximo par de sapatos, as próximas férias de verão ou o próximo relacionamento afetivo nos trarão satisfação. Contudo, como é natural, os bens materiais, as experiências emocionantes e até mesmo outras pessoas não podem matar a sede espiritual de nossa vida.

Somente Deus pode saciar nossa mais profunda sede com água viva. Como dissemos nos capítulos anteriores, quando procuramos Deus em primeiro lugar, ficamos livres para doar mais de nós mesmos às pessoas de nossa vida. Cícero observou sabiamente: "A gratidão não é apenas a maior das virtudes, mas a mãe de todas elas". Quando somos gratos, ficamos contentes e cheios da paz que apenas Deus pode prover. Concentrar-se no agradecimento por tudo o que se tem impede a amargura e a ganância.

Vale a pena refletir

Quando foi a última vez em que você desfrutou um momento precioso? Quais eram as circunstâncias — você estava em férias, em companhia de sua família, numa comemoração natalina? O que o impede de ter mais desses momentos?

SEGUNDAS CHANCES

A história de Jesus registrada em Lucas 17.11-13 é um exemplo de como pessoas que receberam uma segunda chance, às vezes, se esquecem de agradecer à fonte de todo bem.

Dirigindo-se a Jerusalém, Jesus chegou à fronteira entre a Galileia e Samaria. Ao entrar num povoado dali, dez leprosos, mantendo certa distância, clamaram: "Jesus, Mestre, tenha misericórdia de nós!".

Esses dez homens tinham algo em comum: sua condição era desesperadora.

A lepra era a doença mais temida dos dias de Jesus. Começava com manchas na pele que se transformavam em tumores; estes aumentavam, a ponto de a pessoa ficar desfigurada e não ser mais reconhecida. Depois os dedos das mãos e dos pés literalmente caíam. Por fim, a pessoa entrava em coma e morria. Era uma maneira terrivelmente dolorosa de morrer.

Nos dias de Jesus, o primeiro sinal de lepra já era uma sentença de morte. Uma vez identificada a doença, o leproso era forçado a sair de casa, deixar a família e os amigos, e era expulso da cidade. Uma lei muito rígida estabelecia que pessoas com lepra não podiam ficar a menos de cinquenta metros de uma pessoa sadia. Se o fizessem, seriam apedrejadas até a morte.

Você consegue imaginar o que é nunca ser tocado de novo, nunca sentir o abraço de uma criança, nunca sentir os braços de seu pai ou de sua mãe sobre seus ombros, nunca sentir o abraço de seu cônjuge? Era assim que aqueles homens viviam fazia anos. Alguns deles provavelmente tinham lepra desde criança, porque a doença levava muito tempo para progredir. Eles já tinham perdido as esperanças depois de todas as tentativas fracassadas. Mas então aconteceu algo maravilhoso. Eles se encontraram com o Carpinteiro de Nazaré, aquele que dizia ser o Messias. "Ele olhou para eles e disse: 'Vão e apresentem-se aos sacerdotes'. E, enquanto eles iam, foram curados da lepra" (Lc 17.14).

Era muito raro alguém ser curado de lepra, mas parece que já havia acontecido antes. Existia uma lei que exigia que um leproso, ao ser curado, fosse visitar o sacerdote. O sacerdote determinava se o leproso estava limpo ou não e se teria permissão de voltar para a família, os amigos e a comunidade. Assim, é surpreendente o fato de Jesus ter dito a esses dez leprosos que fossem ao sacerdote *antes* de estarem curados, como se sua saúde já estivesse restaurada. Foi um teste para a fé daqueles homens. Será que eles de fato acreditaram que Jesus era quem ele disse ser? Eles obedeceram e passaram no teste.

Imagine aquele bando de homens esfarrapados caminhando na direção do templo. Eles olharam e viram que as manchas na pele haviam desaparecido completamente e, então, perceberam que estavam curados. Podiam voltar para casa! Tal presente inacreditável com certeza foi comemorado: pularam, gritaram e fizeram todo tipo de comemoração que podiam. Era uma alegria incontida, um anseio de ver logo o sacerdote, ir para casa e receber a vida de volta. Contudo, no caminho, um deles parou e disse: "Ei, pessoal, esperem um minuto. Preciso voltar e agradecer àquele que é responsável por isso. Preciso expressar gratidão a quem me deu esse incrível presente". Talvez os outros tenham dito: "O quê? Precisamos voltar para nossa família. Há anos não estamos com eles". Mas talvez aquele um tenha respondido: "É verdade, mas primeiro quero voltar e agradecer a Jesus".

TRIPLICAR O TAMANHO

Talvez a parte mais significativa dessa história tenha ocorrido logo depois.

> Um deles, ao ver-se curado, voltou a Jesus, louvando a Deus em alta voz. Lançou-se a seus pés, agradecendo-lhe pelo que havia feito. Esse homem era samaritano.

Jesus perguntou: "Não curei dez homens? Onde estão os outros nove? Ninguém voltou para dar glórias a Deus, exceto este estrangeiro?".

Lucas 17.15-18

Esse homem era de outro país, mas, mesmo assim, foi o único que voltou para agradecer a Jesus. "E disse ao homem: 'Levante-se e vá. Sua fé o curou'" (v. 19). Aquele homem finalmente recebeu o que eu e você consideramos normal. Ele tinha uma nova vida e saúde. Ele viveria para ver o amanhã, mas percebeu que aquilo era um precioso presente que Deus lhe dera e, assim, voltou para agradecer a Jesus. A dura verdade sobre toda essa história é que ele foi o único. De um total de dez, apenas ele expressou gratidão. Ele voltou e lançou-se aos pés de Cristo.

A gratidão tem o poder de nos transformar. Aquele ex-leproso não estava curado apenas fisicamente; ele recebera também a cura espiritual. Há poder na gratidão para nos curar no aspecto espiritual, emocional e relacional. Uma atitude de gratidão abre nosso coração a Deus, capacitando-nos a ver o mundo como ele realmente é, a experimentar a vida em sua plenitude e a desfrutar cada momento que respiramos. Esse é o poder da gratidão, mas quase dá para ver a ferida no coração de Jesus quando ele faz três perguntas: "Não eram dez? Onde estão os outros nove? Só você voltou a mim?".

Antes de julgarmos com severidade os nove que não voltaram para agradecer a Jesus, precisamos observar nossa própria vida. O que há em nosso coração que nos faz considerar tantas coisas como naturais? Desejamos muito alguma coisa, mas, quando a conseguimos, não agradecemos a Deus. Como é comum brigarmos com Deus para que nos dê aquilo de que precisamos! "Deus, eu farei qualquer coisa. Simplesmente me ajude dessa vez, e serei seu para o resto da vida". Quando ele finalmente nos concede o que pedimos, mesmo que não seja exatamente o que e quando queríamos, deixamos de agradecer.

Naquele dia, dez homens receberam um presente, mas apenas um abriu o pacote. Dez pessoas receberam vida naquele dia, mas apenas uma delas percebeu que havia mais do que simplesmente o tempo aqui na terra. A gratidão faz isso: ela transforma. Abre seu coração para Deus, de modo que você experimente todas as bênçãos que ele tem para você.

Quando penso em como a gratidão pode aumentar nossa capacidade de amar, lembro da história infantil *Como o Grinch roubou o Natal*,[1] do Dr. Seuss. Meu trecho favorito é a descrição do que aconteceu logo depois que o Grinch entendeu o verdadeiro significado do Natal: "E alguns dizem que o coração do Grinch triplicou de tamanho naquele dia". A gratidão expande nosso coração da mesma maneira. Passamos a ter total consciência dos detalhes que amamos na vida, das coisas simples com as quais nos alegramos e, talvez a principal, das pessoas que Deus colocou em nossa vida. Resumindo, a gratidão expande nossa capacidade de desfrutar a vida.

Vale a pena refletir

Na maior parte do tempo, você se assemelha àquele que voltou para agradecer a Jesus ou aos nove que seguiram o próprio caminho? Com que frequência você agradece às pessoas de sua convivência a contribuição que oferecem em sua vida? A quem você gostaria de agradecer hoje se tivesse apenas um mês para viver?

---

[1] São Paulo: Companhia das Letrinhas, 2006.

UM EM DEZ

A ingratidão tem efeito contrário. Ela faz nosso coração encolher e esfriar. Ela bloqueia o fluxo da sabedoria e das bênçãos de Deus em nossa vida. De fato, o oposto de um coração cheio de gratidão é um coração cheio de insatisfação, queixa, reclamação e negatividade. Todas as vezes em que sou negativo, não posso deixar de sentir que Deus fica decepcionado com minha atitude; é como um tapa na cara de Deus depois de tudo o que ele já me concedeu.

Quando penso na proporção — um em dez — da história de Jesus com os leprosos, percebo que as porcentagens são muito semelhantes hoje em dia. Talvez somente 10% das pessoas no mundo estejam realmente vivas. Apreciam os dons que Deus lhes concedeu, e seus olhos estão bem abertos para o sagrado dom da vida. Celebram cada novo dia e são profundamente agradecidas a Deus. Tiram proveito de cada respiração, instante e oportunidade para celebrar a vida.

Mas imagino que cerca de 90% das pessoas hoje nunca agradeceram a Deus pelas bênçãos recebidas, nunca saboreiam a riqueza do dom da vida. Nunca. Às vezes estou entre os 10%, com os olhos bem abertos enquanto aprecio plenamente cada momento, vivendo a vida em sua plenitude com um coração cheio de gratidão. Mas muitas vezes estou entre os 90%, andando apressado de lá para cá, de compromisso em compromisso, correndo de um lado para outro ou envolvido numa infinidade de deveres que parecem urgentes. Fico míope, com os olhos fixados em meu pequeno mundo, e deixo de ver como a vida é muito maior.

Se você tivesse apenas um mês para viver, com certeza gostaria de extrair o máximo desse tempo, sorrir e envolver-se plenamente com as pessoas a quem ama, apreciar as pequenas coisas, aquelas que podem parecer tolas para os outros, mas que alegram sua alma. Gostaria certamente de dar graças a Deus por permitir-lhe experimentá-las. Pode ser o cheiro de pipoca com manteiga no cinema, a linda vista do topo da montanha, o gosto do frango frito que sua mãe prepara ou seu sentimento quando uma criança pega sua mão. Todos nós somos abençoados com momentos preciosos. Agradecer àqueles que estão ao nosso redor simplesmente aumenta o amor entre nós. Ao expressarmos nossa gratidão a Deus, aumentamos nossa capacidade de experimentar uma vida plena, sem arrependimentos.

PARA A VIDA TODA

1. Faça uma lista de gratidão com cinco ou seis pequenas coisas que você geralmente considera naturais. Pare um pouco e sinta o perfume das rosas, agradecendo a Deus pelas pequenas coisas que tornam a vida bela.
2. Reveja sua lista e escolha um item para experimentar hoje. Pode ser saborear sua refeição favorita, ouvir uma música que não escuta há tempos, sentir o cheiro de café recém-preparado. Seja o que for, faça isso com gosto.
3. Faça uma lista das pessoas pelas quais você é mais agradecido. Tente pensar em outras pessoas além das óbvias — família e amigos — e considere aquelas que contribuem para sua vida todos os dias, mas que tendem a ser desprezadas. Pode ser a professora de seu filho, a assistente do escritório, o motorista do ônibus ou o garçom do restaurante onde você almoça sempre. Faça questão de agradecer-lhes hoje.

Dia 15

Última chamada

Revelando o coração

Diga o que deseja dizer quando tiver o sentimento e a oportunidade. Meu arrependimento maior são as coisas que não fiz, as oportunidades perdidas e o que deixei de dizer.

Jim Keller

Ele se tornou o que somos para que pudesse fazer de nós o que ele é.

Atanásio

Em 1876, quando Alexander Graham Bell usou pela primeira vez sua invenção ainda incipiente chamada telefone, ninguém poderia imaginar como o mundo logo se tornaria pequeno à medida que as linhas de comunicação se expandiam e permitiam a conexão em todos os cantos do planeta. Contudo, como toda grande invenção que cria conveniências, ela também criou algumas complicações.

Hoje temos satélites, teleconferência, redes sem fio, celulares e todo tipo de comunicação. Embora possamos falar com qualquer pessoa, em qualquer lugar e a qualquer momento, imagino com que frequência ocorre a verdadeira conexão. As linhas de comunicação se rompem numa frequência alarmante — entre marido e esposa, pais e adolescentes, chefes e funcionários, colegas de trabalho e amigos. As pessoas falam o tempo todo, mas raras vezes parecem ouvir o que dizem umas às outras, quanto mais compreender as mensagens não verbais.

Os especialistas dizem que 80% da comunicação é não verbal: expressões faciais, gestos com as mãos, linguagem corporal. Assim, numa conversa telefônica, expressamos apenas cerca de 20% do que desejamos transmitir. Não estou defendendo que você jogue fora seu celular, mas se tivesse apenas um mês para viver, seria hora de abordar de maneira séria a comunicação com as pessoas de seu convívio.

Para expressar seu amor às pessoas-chave de sua vida, é essencial dizer-lhes o que você considera mais importante, que lhes peça perdão e relembre momentos passados juntos. Você precisa ouvir, talvez pela primeira vez, aquilo que seus entes queridos desejam dizer-lhe. É preciso esclarecer mal-entendidos e restabelecer linhas de comunicação interrompidas. Se você pretende viver como se tivesse quatro semanas pela frente, precisa passar da falha para a revolução nas comunicações. Bilhões de palavras são faladas todos os dias em casas, escritórios, igrejas e escolas, mas, para que realmente haja uma conexão, devemos começar com a Palavra mais poderosa.

Vale a pena refletir

Existe neste exato momento algum relacionamento em sua vida cujas linhas de comunicação estejam interrompidas? Houve alguma falha de comunicação, um mal-entendido ou uma discrepância entre palavras e ações? Como você reagiu a essa pessoa?

PERDIDO NA TRADUÇÃO

Se você já estudou alguma língua estrangeira, sabe quanto do significado original pode ser alterado ou até mesmo perdido no processo de tradução. Isso também se aplica quando usamos o mesmo idioma na comunicação. Por essa razão, é muito importante contextualizar as palavras. As pessoas de nossa vida precisam saber o que de fato está motivando nossa comunicação com elas. Para que os outros realmente entendam nossas intenções, temos de pagar o preço de revelar nosso coração. Como em alguns telefones públicos antigos, é preciso primeiro colocar as moedas para ouvir o sinal de linha. Antes de abrir a boca, abra o coração. Como disse Oswald Chambers, "o espiritual e o invisível determinam o exterior e o real nas pessoas".

O exemplo mais dramático de falar com o coração aberto foi o que mudou o curso da história e continua a redirecionar um número incontável de vidas: "A Palavra se tornou ser humano, carne e osso, e habitou entre nós. Ele era cheio de graça e verdade. E vimos sua glória, a glória do Filho único do Pai" (Jo 1.14). Jesus comunicou-se conosco ao sair de seu lar no céu, vir a esta terra e revestir-se de carne humana, de modo que pudesse revelar-nos seu coração. Ele abriu seu coração e tornou-se totalmente vulnerável. Arriscou-se à rejeição e foi, de fato, incompreendido por muitos, sobretudo por aqueles que detinham o poder.

Por que ele fez isso? Por uma razão: para que pudéssemos ver como Deus é. Assim, ele poderia comunicar-se conosco da maneira mais eficiente possível — uma vez que a Palavra transcende todas as barreiras de linguagem. Se não abrirmos o coração a quem amamos, nunca viveremos uma revolução nas comunicações. Antes que as palavras fluam, nosso coração precisa ser exposto. Precisamos correr o risco de sofrer a vulnerabilidade até o ponto de uma possível rejeição.

Uma maneira vital de abrirmos o coração para aqueles que estão em nossa vida é compartilhar nosso tempo com eles. Em nossa vida sobrecarregada, muitas vezes tentamos relacionar-nos com as outras pessoas de maneira eficaz, tentando poupar tempo, energia e dinheiro. Contudo, todas as vezes que fazemos economia de comunicação num relacionamento visando à eficiência, esta se perde. Os relacionamentos não existem e não se desenvolvem de acordo com as regras da eficiência. É preciso tempo para comunicar de maneira eficiente. Tenha em mente que pagamos um alto preço quando negligenciamos os relacionamentos. Encontros com o cônjuge, atividades e programas com os filhos, refeições e festas com os amigos, fortalecimento de equipe com os colegas de trabalho, todas essas atividades costumam ser as primeiras a serem deixadas de lado quando estamos ocupados e precisamos de mais tempo para trabalhar. Mas se estivéssemos com os dias contados, muito provavelmente gostaríamos de ter investido mais tempo nelas.

Devemos compartilhar não só nosso tempo mas também nossos problemas. Para que as pessoas vejam meu coração, tenho de admitir minhas necessidades. É muito comum agirmos como o personagem do livro infantil *O cavaleiro preso na armadura*,[1] de Robert Fisher. O cavaleiro intrépido sai para matar dragões e travar batalhas sangrentas, mas quando volta para casa, não sabe tirar a armadura. Precisamos aprender a tirar nossa armadura para que possamos conectar-nos com os outros. É certo que precisamos usar armaduras; do contrário, não conseguiríamos travar nossas inevitáveis batalhas. Tanto os limites

[1] Rio de Janeiro: Record, 2001.

sociais quanto profissionais são necessários. Mas se você deseja ter uma revolução nos relacionamentos, seja com um colega de trabalho, um funcionário, um chefe, o marido, a esposa, seja um filho adolescente, precisa aprender a tirar a armadura e tornar-se vulnerável, expondo seu coração e admitindo suas necessidades.

Se você é líder e deseja que as pessoas sob sua coordenação se conectem a você, que trabalhem com tanto empenho quanto você e que permaneçam fiéis, precisa estar disposto a se abrir de vez em quando. Admita seus erros. Conte-lhes suas necessidades. Compartilhe aquilo que você está realmente pensando. As pessoas se unem quando os líderes são suficientemente fortes para compartilhar suas fraquezas. Abra seu coração antes de abrir a boca, e você ficará maravilhado com a diferença em sua comunicação.

POR TRÁS DAS PALAVRAS

Precisamos também aprender a ouvir, antes de abrir a boca para falar alguma coisa. É comum simplesmente fazermos um gesto com a cabeça e um esforço concentrado para dar a impressão de que estamos prestando atenção quando, de fato, estamos pensando no que vamos dizer em seguida, no cardápio do almoço e de quanto tempo vamos levar para pegar as crianças depois da ginástica. Em vez disso, precisamos ouvir o que está por trás das palavras, chegando à ferida do coração da outra pessoa. Você não precisa ser conselheiro, pastor ou assistente social para perceber quantas pessoas a sua volta estão feridas. Não importa quanto a vida delas pareça boa, porque, de vez em quando, todo mundo se machuca. Se você ouvir o que está por trás das palavras daqueles a quem ama, escutará a ferida e se conectará a eles em um nível mais profundo.

Ouvir também significa que você olha nos olhos das pessoas e tenta descobrir o que elas realmente amam, quais são seus interesses, com o que sonham. Quando um dos meus filhos tinha três ou quatro anos, às vezes ele vinha falar comigo no momento em que eu lia o jornal da manhã. Imediatamente amassava o jornal, jogava-o no chão, pegava meu queixo e virava meu rosto de modo que eu pudesse olhá-lo nos olhos. Ele queria ter certeza de que tinha minha total atenção, porque queria ser notado, ouvido e compreendido.

Meu filho não está sozinho nisso. Deus nos criou com o desejo de sermos totalmente compreendidos. Queremos ser vistos não como a pessoa pública que trabalha duro para ter a aparência de bem-sucedida e vencedora, mas como realmente somos. Queremos que alguém veja nosso coração — com defeitos e tudo mais — e ainda assim nos ame. Cônjuge, filhos, amigos, equipe e colegas de trabalho desejam que os respeitemos ao dar-lhes plena atenção, ouvido e coração. Eles querem que os vejamos e também amemos.

Vale a pena refletir

Você se considera um bom ouvinte? Por quê?
O que o impede de ouvir mais atentamente
as pessoas importantes de sua vida?
Com que atenção elas o ouvem?

VERDADE SIGNIFICA CONFIANÇA

Ao analisar pessoas que estão enfrentando o fim da vida, notei quanto elas estão motivadas a, finalmente, dizer a verdade. Quando lembrarmos que nossos dias estão contados, perceberemos que não temos tempo a perder com nada que não seja verdadeiro.

Nos relacionamentos, as coisas são sérias demais para ficar enrolando, falar pelas costas ou não conversar honestamente. Você ganha respeito quando fala diretamente. Assim como Jesus é "a Palavra [...] cheio de graça e verdade" (Jo 1.14), precisamos ser honestos e claros. Em seu livro *Os 5 desafios das equipes*,[2] Patrick Lencioni conclui que, na maioria dos locais de trabalho, as pessoas não falam a verdade nem compartilham seus verdadeiros sentimentos. Elas fazem fofoca, apunhalam os outros pelas costas, defendem com vigor suas opiniões e se amarguram, mas poucas falam a verdade. Por quê? Porque é mais fácil fingir que está tudo bem e dizer o que os outros querem ouvir. Todos agem com cordialidade porque ninguém quer, de fato, compartilhar a verdade em um nível profundo. Lencioni acredita que essa tendência demonstra falta de confiança dentro da organização.

Os grandes relacionamentos, como as grandes organizações, são construídos com base na confiança, e você constrói confiança ao dizer a verdade. Quanto mais disser a verdade, mais cultivará uma atmosfera em que todos podem ser honestos. Isso facilita a comunicação verdadeira, o que, por sua vez, constrói um grande negócio, uma grande família ou um grande casamento, pois todas as grandes coisas são construídas sobre o fundamento da confiança. Lemos em Efésios 4.15: "Falaremos a verdade em amor, tornando-nos, em todos os aspectos, cada vez mais parecidos com Cristo". Devemos estar dispostos a dizer a verdade, mas também a temperá-la com graça. Quando se sentir irritado, você deve falar sobre isso; quando se sentir

[2] Rio de Janeiro: Campus, 2003.

magoado, exponha seu sentimento. Compartilhe uma opinião forte. Mas a maneira como você compartilha essa verdade pode ser tão importante quanto as palavras em si.

Se você respeitar os outros quando falarem a verdade — ainda que digam coisas de que não goste sobre você, suas decisões ou ações —, eles saberão que são valorizados. Ainda que você discorde, sua reação envia uma mensagem que pode tanto melhorar a comunicação futura quanto enfraquecê-la. Há momentos em que a verdade pode gerar confusão, mas ela sempre constrói confiança e fortalece a base do relacionamento.

ELIMINE A ESTÁTICA

Fico impressionado com a tecnologia do telefone por satélite. Por meio desse pequeno aparelho, sou capaz de me conectar a um grande satélite no espaço que estabelece comunicação com minha casa em Houston quando viajo. Ainda que eu esteja a milhares de quilômetros de distância, posso num instante ouvir a voz de meus filhos. Há momentos em que parecemos estar a anos-luz de quem amamos, e sofremos por causa dessa distância emocional. É nesse momento que Deus deseja que façamos uma ponte sobre esse abismo. Quer que você ligue para ele, para que possa conectá-lo às pessoas de sua vida. Deus abrirá o coração delas. É assim que Cristo se comunicou conosco, ao conectar-se com seu Pai. Comunico-me muito melhor com as pessoas de minha vida quando estou primeiro conectado com meu Pai celestial. De fato, se você é casado, e você e seu cônjuge estão chegando mais perto de Deus, os dois ficarão cada vez mais perto um do outro. Quanto mais perto de Deus eu estiver, mais me conecto a ele, o satélite, mais claramente ele emite um sinal para as pessoas com as quais tento me comunicar. Talvez você tenha um relacionamento rompido e não saiba o que fazer. Ligue para Deus. Peça-lhe que abra o coração da pessoa e que lhe dê as palavras a serem ditas.

Deus nos diz: "Pergunte-me e eu lhe contarei coisas maravilhosas, segredos que você não sabe, a respeito do que está por vir" (Jr 33.3). Quando buscamos a Deus, ele nunca se mostra ocupado; nunca nos deixa em espera. Podemos pedir ajuda a Deus quando não tivermos as palavras que expressem nossos sentimentos, quando precisarmos compartilhar coisas difíceis que vão magoar quem amamos ou quando tivermos de encontrar o momento e o lugar certos para dizer às pessoas quanto elas significam para nós. Seja honesto e peça: "Deus, dá-me as palavras que expressem quanto eu realmente amo minha esposa", "Senhor, dá-me as palavras para que eu consiga comunicar-me com meus filhos adolescentes, pois neste momento tenho dificuldade", "Pai celestial, ajuda-me a saber o que dizer a meu amigo a quem menti".

Se seus relacionamentos não correspondem ao que você deseja deles, se você precisa desenvolver a comunicação com as pessoas mais importantes de sua vida, Deus quer ajudá-lo. Ele vai capacitá-lo a eliminar a estática de modo que possam ouvir o coração um do outro. Tudo o que temos a fazer é pedir. "Se algum de vocês precisar de sabedoria, peça a nosso Deus generoso, e receberá" (Tg 1.5).

A verdadeira comunicação reside em conectar-se, compartilhar e compreender. Se quisermos retirar a armadura que nos envolve, acumulada no transcorrer de nossa vida, precisamos estar dispostos a colocar o coração em risco e revelar quem realmente somos. Devemos dispor-nos a ouvir, identificar as necessidades que as pessoas não exprimem, assim como discernir seus sonhos. À medida que compartilharmos a verdade e pedirmos a Deus que abra os canais de comunicação, nossa vida se encherá de relacionamentos gratificantes, transparentes e sólidos.

PARA A VIDA TODA

1. Observe a lista de contatos em seu celular. Das pessoas da lista, quem são as mais importantes? Com que frequência você liga para elas ou troca mensagens, em comparação com as demais? Com que frequência você, de fato, se comunica com elas?
2. Escreva uma carta, envie um e-mail ou ligue para alguém importante, mas que resida longe de você. Lembre-se da última vez em que estiveram juntos e diga àquela pessoa o que ela significa para você.
3. Tente fazer um jejum de 24 horas de qualquer mídia (televisão, rádio, computador ou jornal) para tentar eliminar as distrações e ouvir as pessoas de sua convivência. Depois escreva o efeito que esse jejum teve sobre você.

PRINCÍPIO 3

Aprender humildemente

Dia 16

Poder estelar

Descobrindo seu propósito na vida

Mire na lua. Ainda que erre, você estará entre as estrelas.

Les Brown

Dentro de cada um de nós existe um herói esperando para ser chamado à ação.

H. Jackson Brown Jr.

Gosto de olhar para as estrelas, ver o céu numa clara noite de verão e enxergar as centenas, talvez milhares, de pequenas joias brilhando na escuridão. Durante esses momentos, lembro-me de quão pequeno sou e quão grande é Deus, e fico pensando por que sou importante para ele, por que não estou perdido num mar de 7 bilhões de pessoas na terra do mesmo modo que a Polaris e a Estrela do Norte se misturam entre as luzes piscantes da Via Láctea.

Em um de seus poemas, que chamamos de salmos, Davi revela o mesmo questionamento:

> Quando olho para o céu e contemplo a obra de teus dedos,
> a lua e as estrelas que ali puseste, pergunto:
> Quem são os simples mortais, para que penses neles?
> Quem são os seres humanos, para que com eles te importes?
> E, no entanto, os fizeste apenas um pouco menores que Deus
> e os coroaste de glória e honra.

Salmos 8.3-5

Temos aqui uma pessoa muito importante de sua época, um homem a quem Deus escolheu no meio da obscuridade e ungiu como rei de Israel, perguntando por que Deus o criou. Em outras palavras, Davi disse: "Deus, quando olho para tudo o que o Senhor criou, sinto que sou um cisco de poeira. Quem sou eu e qual é meu lugar, qual é minha localização, meu espaço, minha posição no grande plano da vida? O Senhor me criou para que eu fosse o quê?".

A resposta à pergunta de Davi é a mesma que Deus tem para nós hoje. Deus reitera de maneira enfática: "Você significa muito para mim. Tenho um grande propósito para sua vida. Eu tinha uma razão específica para criá-lo do modo como o fiz". Ele nos conhece intimamente e não nos perde na multidão, não se esquece de nós nem nos deixa, mesmo quando talvez pensemos o contrário.

Agora que estamos na terceira seção deste livro — Aprender humildemente — começamos com uma de nossas perguntas mais fundamentais e constantes: quem eu *realmente* sou? Durante toda a vida estamos sempre aprendendo mais sobre a personalidade de Deus e seu amor por nós, do mesmo modo que aprendemos sobre nós mesmos. Tenhamos quatro semanas ou quatro décadas de vida pela frente, devemos ser aprendizes por toda a vida, mudando e amadurecendo por meio das muitas fases, circunstâncias, provações e triunfos.

Então, como descobrimos nosso propósito na vida? Quer você esteja fazendo essa pergunta seriamente pela primeira vez, quer já tenha ponderado sobre ela por muitos anos, o ponto de partida é o mesmo. Assim como um astrônomo precisa de um telescópio para olhar o céu da noite e entendê-lo, você precisa olhar com mais atenção. Primeiro, se quiser de fato compreender quem você é e para o que foi criado, tem de olhar para a Fonte de sua criação.

Vale a pena refletir

Quando foi a última vez que você pensou sobre
sua identidade e seu lugar na vida?
Quais eram as circunstâncias?
De que maneira elas influenciaram sua pergunta?

DESIGNER DE INTERIORES

Fomos criados à imagem de Deus, de modo que faz sentido olhar para o caráter dele para que possamos entender o nosso. Em sua carta aos Romanos, Paulo escreveu: "Por meio de tudo que ele fez desde a criação do mundo, podem perceber claramente seus atributos invisíveis: seu poder eterno e sua natureza divina" (Rm 1.20). Paulo estabelece a correspondência entre a criação e o Criador; quando olha ao redor, encontra provas de que Deus existe.

Em 1995, os cientistas apontaram o telescópio espacial Hubble para um ponto vazio do espaço do tamanho de um grão de areia. Eles queriam testar a clareza e o alcance do Hubble e ficaram chocados quando as imagens chegaram. Aquele pequeno ponto do espaço não estava de modo algum vazio. As imagens revelaram mais de mil galáxias nunca antes vistas. Os cientistas hoje estimam que haja mais de 125 bilhões de galáxias no universo visível. Cada uma contém milhões de estrelas. É de deixar qualquer um maluco! Minha mente pequena e finita não consegue sequer alcançar tal magnitude. Se esse é o tamanho apenas daquilo que conhecemos da criação, então qual será o tamanho do próprio Criador? Quanto poder e imaginação ele deve ter para moldar tanta beleza, força e complexidade?

Quando se olha para as complexidades da criação aqui nesta terra, fica evidente que alguém está por trás de tudo, um *Designer* Inteligente que criou cada parte disso. Quanto mais aprendo sobre a criação — quer seja o ciclo de vida de uma traça, quer a maneira como meu cérebro funciona —, mais convencido fico de que existe um Criador. Edwin Conklin, professor de biologia da Universidade Princeton, diz que a probabilidade de a vida ter-se originado de um acidente é comparável à probabilidade de um dicionário ser o resultado de uma explosão numa gráfica. Quando vemos a beleza, a eficiência e a complexidade da criação, sabemos que isso não pode ter ocorrido por circunstâncias aleatórias. É preciso haver um Criador. Ironicamente, é preciso ter muito mais fé para ser ateu do que para acreditar em Deus.

Se não existe um Criador, então estamos aqui por acidente, uma ocorrência arbitrária da natureza. Se estamos aqui na terra por mero acaso, então como pode haver propósito na vida? Não haveria necessidade de estender-me mais neste livro para entender nossa identidade e propósito nesta terra, porque, se não houvesse um Criador, não haveria um significado maior nem um propósito mais amplo. Estamos aqui simplesmente para desfrutar tudo o que pudermos, enquanto for possível. Então, viva, divirta-se, não se preocupe nem busque o significado da vida porque ele não existe. Se não existe um Criador, somos basicamente um tipo curioso de animal autoconsciente.

Mas a boa notícia é que, pelo fato de vermos pegadas intencionais por toda a criação, deve haver um *Designer* Mestre. A prova está exatamente diante de nós. É como um daqueles desenhos tridimensionais que você olha a certa distância até que a imagem oculta apareça. Algumas pessoas podem ver as três dimensões de imediato, ao passo que outras têm dificuldade de enxergá-las por mais que olhem.

Quando olho para a criação, vejo um Criador, e também vejo que tipo de Criador ele é. Vejo sua personalidade, seu poder e todo seu bom humor. Vejo quanto ele ama a singularidade e a variedade. Vejo o ornitorrinco e a borboleta. Considero meu próprio corpo. Se você não acredita que Deus ama a variedade, simplesmente vá até o shopping center mais próximo, sente-se em um banco e veja a maravilhosa diversidade de pessoas caminhando. Somos resultado de uma maravilhosa imaginação, diferente de qualquer outra.

EVITANDO O ROUBO DE IDENTIDADE

Assim, se somos obra-prima de Deus, criados a sua imagem, então por que temos tanta dificuldade de saber quem somos, de reconhecer nosso verdadeiro valor? No filme *O rei leão*, um clássico da Disney, logo depois de toda aquela coisa de ciclo da vida, a resposta a essa pergunta é ilustrada de maneira poderosa. Você deve lembrar a história do jovem leão Simba, herdeiro do reino, que é falsamente acusado da morte de seu pai, Mufasa. Simba foge, tomado de culpa e medo, e desiste de seu sonho de tornar-se rei até que um dia, no deserto, Mufasa vem a ele numa visão e diz:

— Simba, você me esqueceu.

— Mas, papai, como poderia me esquecer de você? — Simba diz.

— Você se esqueceu de quem você é e, portanto, esqueceu-se de mim. Lembre-se de quem você é. Você é meu filho, o único rei verdadeiro — seu pai responde.

Gosto muito dessa cena porque reforça uma verdade essencial sobre quem nós somos. Deus está dizendo a todos nós hoje: “Lembre-se de quem você é. Você é meu filho. Você é um filho do Rei". Hoje em dia, muitas pessoas se esqueceram de seu Criador e, assim, perderam completamente o propósito e o significado da vida. Elas não estão de fato vivendo, mas apenas existindo. Não sabem qual é seu lugar na vida porque esqueceram a quem pertencem e, portanto, esqueceram quem são.

Em muitos casos, elas foram ajudadas no processo de esquecimento e na perda da visão de sua verdadeira identidade. Na era supertecnológica em que vivemos, ouvimos muito sobre o perigo dos ladrões de identidade e como evitá-los. Assim, navegamos apenas em sites seguros, aqueles que usam criptografia e outras salvaguardas contra um hacker que pode roubar nossos dados vitais e, com eles, nossa identidade. Mas o roubo de identidade não é um fenômeno novo — de fato, é um dos crimes mais antigos, a estratégia número 1 de nosso Inimigo. Ele quer roubar-lhe a consciência de quem você realmente é.

Enquanto o propósito de Deus é dar-lhe vida plena, Satanás armou um plano para que você se contente com bem menos do que aquilo para o que foi criado. O plano do ladrão é roubar, matar e destruir. Ele sabe que, se conseguir roubar sua identidade, poderá destruir seus sonhos e seu propósito na vida. Precisamos estar sempre conscientes de que estamos no centro de uma batalha épica. Como disse C. S. Lewis, "não há terreno neutro no universo; todo metro quadrado, a cada fração de segundo, é área pedida por Deus e reclamada por Satanás".

Satanás vem até nós e sussurra: "Você não tem valor. Deus jamais poderá usá-lo. Na verdade, Deus tem vergonha de você porque estragou tudo. E estragou tudo muitas e muitas vezes. Você não merece mais nada. Deus se esqueceu de você porque você deixou de viver aquilo que ele esperava. Você não tem talento suficiente. Deus usa outras pessoas, mas não vai usá-lo. Deus não pode usá-lo — você não é suficientemente espiritual, esperto, dedicado e forte". Isso lhe parece familiar?

O Inimigo tenta minar nossa confiança naquilo que fomos criados para ser. Mas Deus constantemente nos diz: "Lembre-se de quem você é. Você é meu filho. É um filho do Rei. Essa é sua verdadeira identidade. Você está perdoado. Vejo-o como justo diante de mim. Você me é muito valioso. Considero-o tão digno que vim a esta terra e morri por você. Esse é o valor que você tem. Vale a pena morrer por você. Eu o amo dessa maneira".

Vale a pena refletir

Quando você percebeu que o Inimigo tentava roubar sua identidade? Quais são as mensagens que lhe passam pela mente quando está decepcionado consigo mesmo? Como poderá contra-atacar essas acusações da próxima vez que Satanás as lançar sobre você? Em outras palavras, como você poderá lembrar-se, naqueles momentos, de quem você realmente é?

FAZENDO SUCESSO

Depois de perceber e entender como nosso Criador trabalha em projetos intencionais, belos e intrincados, podemos olhar para nós mesmos. Podemos direcionar o telescópio outra vez para nossa direção e descobrir nossa verdadeira identidade. Podemos perceber como fomos criados para realizar os propósitos de Deus. "Pois somos obra-prima de Deus, criados em Cristo Jesus a fim de realizar as boas obras que ele de antemão planejou para nós" (Ef 2.10).

Para fazer essa descoberta e viver à luz dela, é preciso gravitar em torno dos pontos fortes que você possui. Donald O. Clifton, autor do livro *Living Your Strenghts* [Vivendo seus pontos fortes], diz que, desde pequenos, somos ensinados a ser "torneados". Alcançamos a aprovação de nossos professores ao apararmos nossas arestas, ao suavizarmos nossas asperezas, torneando-as. De acordo com Clifton, no entanto, somos na maioria das vezes ensinados a ser obtusos. Somos ensinados a nos proteger, a ser complacentes, a seguir as convenções e tradições, a nos manter nos limites predeterminados.

Deus nunca quis que fôssemos torneados. Ele capacitou a cada um de nós de maneira singular, e ninguém possui todos os talentos, mesmo que pareça. Devemos nos concentrar naquilo em que somos bons e não nos importarmos tanto com aquilo em que não somos. Não sou bom cantor — é só perguntar para alguém que me conhece! Eu poderia passar o resto da vida tendo aulas de canto e fazendo testes para o *The Voice*, mas sei que só passaria de péssimo para medíocre. Em vez disso, concentrei-me nas áreas-chave em que Deus me capacitou e tenho tentado desenvolvê-las. Eu me esforço para ser um melhor escritor e comunicador. Insultamos Deus quando nos concentramos em dons e paixões que não temos e tentamos desenvolver apenas nossos pontos fracos. Nosso maior potencial reside nas áreas em que estão nossos maiores pontos fortes.

Como começamos a saber quem somos na vida? Não importa o estágio em que estejamos — estudante, jovem adulto, solteiro, casado, pais recentes, pais com filhos casados, avós —, todos nós podemos aprender mais sobre a pessoa que Deus nos criou para ser ao nos concentrarmos nele. À medida que desenvolvemos um relacionamento mais próximo com Deus, nós nos tornamos mais semelhantes a ele, frustrando as tentativas do Inimigo de roubar nossa identidade. Quando vemos nosso Criador como a fonte de quem somos, podemos brilhar mais intensamente que qualquer estrela no céu noturno.

PARA A VIDA TODA

1. Nesta noite (ou na próxima noite com céu aberto), passe algum tempo, sozinho, olhando as estrelas. Aonde vai sua mente? Aonde vai seu coração? Leia o salmo 8. Escreva um poema dedicado a Deus, expressando sua experiência, suas perguntas e seus desejos.
2. Nesta semana, localize um objeto que o lembre de quem você realmente é. Pode ser uma foto sua numa atividade que lhe traga prazer ou com entes queridos. Talvez seja uma pedra que você trouxe de uma caminhada ou uma joia de família. Mantenha esse objeto com você ou coloque-o num lugar em que possa vê-lo todos os dias como lembrete de sua verdadeira identidade.
3. Faça uma lista de seus pontos fortes (tudo o que puder lembrar), da maneira mais específica e concreta possível, ou cite exemplos se forem mais genéricos. Em vez de dizer que é criativo, seja mais específico e diga que é um aquarelista talentoso. Releia a lista e, ao lado de cada item, cite quanto tempo na semana passada você dedicou ao uso ou ao aperfeiçoamento desse talento.

Dia 17

GPS

Encontrando o rumo

Deus o chama ao lugar em que se cruzam a profunda alegria e a maior necessidade do mundo.

Frederick Buechner

Quando me colocar diante de Deus no final da vida, espero não ter nenhum talento guardado e dizer "Senhor, usei tudo o que me deste".

Erma Bombeck

Você é tão agradecido quanto eu pelo fato de poder dirigir um automóvel tendo a ajuda de um GPS — *Global Positioning System*, ou Sistema de Posicionamento Global? Talvez seja porque cresci assistindo a *Guerra nas estrelas*. O caso é que aprecio o brilhantismo do conceito e amo a conveniência. A partir de algum ponto no espaço, satélites enviam um sinal para o aparelho ou celular com essa tecnologia, informando onde estou e o caminho para chegar a meu destino.

Nunca fui tão grato à tecnologia GPS quanto numa viagem que fiz à Suécia com minha família, há alguns anos. Quando chegamos a Estocolmo, alugamos um carro com sistema GPS porque tínhamos reuniões marcadas que exigiriam atravessar aquela cidade com mais de 1 milhão de habitantes. Assim, ao sair do aeroporto, entreguei o GPS a Ryan, meu filho adolescente, para programá-lo, pois não fazia a menor ideia de como fazê-lo.

Em poucos minutos, seguíamos nosso caminho, guiados por uma confiante voz eletrônica que nos dizia "Vire à esquerda daqui a quinze quilômetros" ou "Vire à direita daqui a oitocentos metros". Tudo estava indo muito bem até que chegamos ao centro da cidade. Cercados por prédios muito altos, parecia que havíamos perdido o sinal do satélite. As orientações se tornaram intermitentes e fiz várias conversões erradas até que nos perdemos.

Finalmente, com uma pequena ajuda de Ryan, descobrimos que, quando colocado no painel frontal do carro, o aparelho de GPS sempre conseguia captar o sinal do satélite. Depois de um pequeno atraso, ele nos levou tranquilamente ao hotel. Na vida, também temos um sinal claro vindo de Deus, de modo que podemos descobrir nossa posição e nosso lugar no mundo. Até descobrirmos nosso lugar, nosso propósito na vida, sempre nos sentiremos perdidos, mesmo quando estivermos cercados por uma multidão.

Vale a pena refletir

Quando foi a última vez que você se perdeu dirigindo? O que aconteceu? Você parou para pedir informação? Qual sua reação normal quando se sente perdido, quer na estrada, quer nas circunstâncias da vida? Onde você busca orientação?

UMA GALÁXIA DE DONS

O GPS não serve apenas para navegar entre pontos geográficos. Ele representa uma excelente maneira de considerar aquilo que Deus instilou em nós para nos ajudar a encontrar o caminho de uma vida abundante. Como já vimos no capítulo anterior, nossa identidade individual e nosso propósito único caminham de mãos dadas. Se desejamos saber o que somos realmente chamados a buscar nesta vida, devemos entender como Deus nos criou. Davi escreveu em Salmos 139.14: "Eu te agradeço por me teres feito de modo tão extraordinário". Sabemos que fomos feitos à imagem de Deus e que o valor que ele deposita em nós é inestimável. Ele se dispôs a pagar o preço da morte e da separação de seu Filho para que pudéssemos ter um relacionamento pleno com ele.

Contudo, falando de maneira prática, como isso nos ajuda a saber nosso propósito e como devemos viver? Devemos estar dispostos a ativar o GPS que nosso Criador instalou em nós. Para descobrir nosso caminho entre as muitas circunstâncias e escolhas da vida, devemos estar dispostos a usar três recursos fundamentais: graciosos dons, paixões e situações desafiadoras.

Deus derramou uma galáxia de dons sobre a humanidade, e você não foi deixado de fora. Ele graciosamente nos forneceu habilidades e talentos únicos. Em uma de suas cartas aos primeiros cristãos, Paulo escreveu: "Existem tipos diferentes de dons espirituais, mas o mesmo Espírito é a fonte de todos eles. Existem tipos diferentes de serviço, mas o Senhor a quem servimos é o mesmo" (1Co 12.4-5). Alguns dons são talentos naturais com os quais você nasceu, e outros são dons espirituais que brotam quando você dedica sua vida a amar a Cristo. Paulo observa que essa distinção não é realmente importante, porque sempre que fazemos algo bem, que traga honra a Deus, trata-se de algo espiritual. Independentemente de serem dons naturais ou espirituais, todos eles vêm de Deus, e ele tem muito prazer em nos ver usando o que nos concedeu. Alguns são bons para falar, outros para cantar. Algumas pessoas são ótimas em contabilidade, outras em arquitetura. Algumas são líderes, outras gostam de ensinar. Em Houston, no Texas, aprendi que fazer churrasco é definitivamente um dom espiritual nessa região.

Todos nós somos especialistas em alguma coisa, e ninguém é excelente em tudo. É comum nos compararmos aos outros e desanimarmos porque não somos tão organizados, não somos tão bons esportistas, não escrevemos ou não contamos piadas tão bem. Desprezamos e minimizamos os dons que recebemos porque nos concentramos naquilo que não temos ou que não podemos fazer tão bem quanto os outros.

Como descobrir o que Deus lhe deu? Pergunte-se o que você faz bem e responda com honestidade. Pergunte a seu Criador, aquele que o fez; pergunte aos amigos e à família: "Em sua opinião, quais são meus principais dons, meus pontos fortes? Onde você vê meus talentos mais claramente?". Você deve perguntar aos outros, em especial àqueles que o conhecem muito bem e convivem com você todos os dias. Um dom pode ser tão natural que acabamos não o reconhecendo em nós e precisamos que alguém nos mostre.

Ao perguntar a si mesmo, a Deus e aos outros, não resvale na falsa modéstia e humildade, nem na justiça própria. "Não sou um orador tão bom. Isso é coisa de Deus". Embora seja verdade que Deus é a fonte de todas as coisas boas, muitas vezes nos escondemos atrás dessa linguagem como uma maneira de evitar a plena responsabilidade por nosso talento. Seja honesto consigo mesmo sobre aquilo que você sabe fazer bem e sua eficiência no uso desse dom. A maneira como exerce seus dons muitas vezes depende daquilo que você mais preza, ou seja, suas paixões.

DEUS DENTRO DE VOCÊ

Achamos nosso lugar e propósito na vida quando descobrimos nossa paixão. Paulo escreveu em Romanos: "Jamais sejam preguiçosos, mas trabalhem com dedicação e sirvam ao

Senhor com entusiasmo" (Rm 12.11). A expressão traduzida como "com entusiasmo" é composta, no original grego, por palavras que significam "Deus dentro de você". O entusiasmo e a paixão vêm de Deus dentro de você. Ele colocou as paixões de minha vida dentro de mim por uma razão: quer que eu persiga muitas paixões. Se esses meus dons são o motor que ele me deu, minha paixão é o combustível que dá impulso e me mantém caminhando.

É muito comum as pessoas errarem por achar que, se estiverem apaixonadas por alguma coisa e forem dotadas para realizá-la, existe uma grande chance de Deus não querer que façam aquilo. Elas pensam que Deus deseja que provem quanto o amam abdicando de seus talentos e sonhos e fazendo alguma outra coisa que odeiam, algo que julguem difícil, enfadonho e tedioso. Isso é ridículo e muitas vezes não passa de desculpa para justificar a falta de foco. Deus lhe concedeu dons porque quer que você os use. Deus lhe deu uma paixão por algo querendo que você persiga e desenvolva. Você tem um dom enterrado? Talvez seja alguma coisa que você adorava fazer, mas da qual desistiu em favor de um "trabalho de verdade". Nunca desista de alguma coisa em que não consegue parar de pensar. Nunca é tarde demais para tornar-se a pessoa que Deus quer que você seja.

Assim, como você descobre qual é sua verdadeira paixão? Pergunte a Deus. Dê atenção àquilo que você gosta de fazer. Considere o momento em que se vir repleto de alegria pela realização de uma experiência, como cuidar do jardim ou ensinar, correr ou cozinhar. Quando se gosta de fazer alguma coisa, o tempo voa e as emoções vão junto. Pode ser um trabalho difícil, mas seu amor por essa tarefa transcende o suor e o esforço. Viver no ambiente que desperta sua paixão também agradará a

Deus. Como diz Eric Liddell em *Carruagens de fogo*, "quando corro, sinto o prazer de Deus". Você terá o senso de agradar a Deus porque saberá que está fazendo aquilo para o que foi criado. Estará cumprindo o potencial das habilidades com as quais ele o dotou.

Quando eram adolescentes, levei meus dois filhos e alguns amigos deles a um parque de diversões em Dallas. Talvez esteja ficando um pouco velho, mas o fato é que não tenho mais a mesma paixão por montanhas-russas que tinha na juventude. Além disso, não se constrói mais montanhas-russas como a *Big Dipper*! Enquanto eu machucava as costelas ao ser jogado de um lado para outro nas curvas fechadas, feitas a uma velocidade alucinante (compreendi um novo significado para essa palavra), e enjoava durante uma queda de quase trezentos metros, fiquei pensando onde estava com a cabeça quando sugeri aquele passeio.

Meus filhos e seus amigos, em contrapartida, não ficavam satisfeitos. Eles diziam: "Cara, eu quase caí! Achava que ia desmaiar. Foi demais! Vamos de novo?". Aparentemente, tivemos experiências similares, mas reações opostas. No dia seguinte, quando levantei, minha cabeça me matava de dor. O pescoço doía, estava todo duro e eu mancava — eu me sentia péssimo. Então, quando me perguntei "Onde eu estava com a cabeça?", a resposta veio rapidamente. Eu não era mais um apaixonado por montanhas-russas, mas estava apaixonado por meus filhos.

Pelo fato de ser apaixonado por meus filhos, a experiência como um todo — dor, aflição, arranhões e todo o resto — valia mais que a pena. Senti uma intensa alegria ao ver meus filhos se divertindo com a experiência. Ver o sorriso na face deles quando estavam prestes a vomitar foi algo inacreditável. Amei tudo aquilo porque adorava ver meus filhos fazendo alguma coisa pela qual eram apaixonados.

Deus se sente do mesmo jeito em relação a você. Quando você busca as paixões que ele colocou em seu coração, ele simplesmente se encanta. Seu Pai fica radiante quando você está sorrindo e desfrutando a vida ao máximo. Ele sente uma imensa alegria no fato de você viver de acordo com seus dons e ser a pessoa que ele tinha em mente quando o criou. Não apenas nos sentimos satisfeitos ao viver nossas paixões, mas também sentimos o prazer de Deus.

Vale a pena refletir

Quando foi a última vez que você se sentiu apaixonado por algo que fazia? Quais eram as circunstâncias? Quais dons você utilizou? O que essa experiência diz sobre seu propósito na vida?

ECLIPSE TOTAL

Os dons que graciosamente recebemos e as paixões nos ajudam a encontrar nosso caminho e a viver a vida abundante que Deus deseja para nós. Contudo, a terceira força — as situações desafiadoras —, é tão importante quanto as outras. Talvez não tão agradável, mas igualmente significativa. Por quê? Porque quando Deus permite que passemos por lutas, problemas e dificuldades, aprendemos a depender dele. Descobrimos quais são nossos limites e somos lembrados de que devemos buscar a Deus em tudo aquilo de que mais precisamos. À medida que aprendemos a depender dele, ele nos enche com seu poder e sua força.

Se não tivéssemos lutas nem problemas, nunca dependeríamos de Deus e perderíamos a oportunidade de saber como é sentir o poder divino em nossa vida. Os desafios nos ajudam a confiar em Deus e ainda nos auxiliam a ver o que ele deseja que façamos e, durante o processo, a encontrar nosso caminho na vida. Como o Deus criativo que é, nosso Pai sempre usa nossas feridas para nos fortalecer e ajudar aqueles que estão ao nosso redor. "Ele nos encoraja em todas as nossas aflições, para que, com o encorajamento que recebemos de Deus, possamos encorajar outros quando eles passarem por aflições" (2Coríntios 1.4).

Deus permite a presença de situações desafiadoras em sua vida para que você se aproxime de outra pessoa e a ajude. Muitas vezes Deus usa minhas próprias lutas para fazer diferença na vida de outras pessoas. Se eu aceitá-las e compartilhá-las com alguém que está passando pela mesma experiência, Deus pode tomar minhas lutas e transformá-las em luzes. Deus criou você para brilhar intensamente — para ser uma luz única que brilha para a glória dele. Mas a questão é que muitas vezes somos eclipsados pelas expectativas dos outros. Em vez de sermos uma luz fulgurante, aquela luz única criada por Deus, sucumbimos diante das falsas expectativas baseadas em nossas comparações com nós mesmos e com os outros. Nós nos conformamos, queremos agradar às pessoas, buscamos aprovação e escolhemos o caminho de menor resistência, em vez de perseguir a vida abundante que cumpre o destino que nos foi concedido por Deus.

Ao nos equipar com um sistema GPS, Deus nos equipou para evitar os desvios e os becos sem saída da armadilha da conformidade. Você tem licença criativa para ser quem Deus o criou para ser. O grande teólogo Dr. Seuss disse certa vez: "Seja quem você é, porque quem se importa não interessa, e quem interessa não se importa". Nosso maior prazer na vida com frequência está em servir, oferecendo às pessoas o que ninguém mais pode naquele exato momento e lugar, seja uma refeição quente, uma palavra de compreensão, um ouvido amigo ou um ombro forte. Devemos estar dispostos a ser guiados por aquele que nos conhece melhor.

PARA A VIDA TODA

1. Em um pedaço de papel, enumere cinco dons que você possui. Não seja modesto nem tímido; ninguém além de você precisa ver isso. Nesta semana, peça a pelo menos três familiares ou amigos próximos que listem cinco dons que veem em você. Compare a lista deles com a sua. O que mais o surpreende? Por quê?
2. Em que aspectos seu trabalho ou campo de atuação refletem sua paixão? Se você soubesse que tem apenas um tempo limitado para viver, gostaria de continuar com esse trabalho ou não? Por quê? Faça uma lista dos obstáculos que, em sua opinião, impedem que você tenha o trabalho e a carreira de seus sonhos. Repasse esses obstáculos com Deus, em oração, tendo em mente que para seu Pai — aquele que o criou e o conhece melhor — nada é impossível.
3. Pense nas pessoas que mais o têm ajudado na vida. De que maneira as situações desafiadoras, as decepções e as provações delas o beneficiaram? O que elas compartilharam dessas experiências que o fortaleceram? Agora, em oração, avalie a possibilidade de compartilhar uma luta com alguém nesta semana, como meio de encorajar ou motivar essa pessoa.

Dia 18

Furacões

Suportando os ventos da mudança

Tudo o que vejo me ensina a confiar no Criador em tudo aquilo que não vejo.

Ralph Waldo Emerson

Se não gosta de alguma coisa, mude-a. Se não puder mudá-la, mude sua atitude. Não reclame.

Maya Angelou

O pior desastre natural da história norte-americana foi o furacão que atingiu Galveston, no Texas, em 8 de setembro de 1900. Estima-se que os ventos tenham atingido a velocidade de 220 quilômetros por hora, e ondas de quase 5 metros de altura castigaram a ilha. Cerca de 6 mil pessoas perderam a vida, e mais de 3.600 casas e prédios foram destruídos. Os moradores da região não tinham o menor preparo para a fúria daquilo que, mais tarde, seria conhecido como a Grande Tempestade.

Depois da devastação que transformou a vida de tantas pessoas, os habitantes de Galveston fizeram algumas mudanças radicais. Construíram uma barreira no mar com 5 metros de altura e 5 quilômetros de extensão para proteger a área. Por meio de barragens e alterações no solo, elevaram a cidade inteira em vários metros. Assim, quando outra tempestade de igual força atingiu a ilha alguns anos depois, os danos foram mínimos, porque a população estava preparada.

Quando os furacões da vida nos atingem, devemos escolher como reagiremos. É muito comum haver rupturas em nossos relacionamentos porque estamos completamente despreparados para as tempestades e o estresse que se abate sobre nossa vida. Somos atingidos por uma tragédia inesperada ou uma crise que nos tira do rumo. Não podemos impedir que os ventos de mudança trazidos pelo furacão soprem sobre áreas como vida pessoal, casamento, família, relacionamentos e carreira, mas podemos preparar-nos e aprender com as tempestades anteriores. As tempestades chegarão, mais cedo ou mais tarde. A única coisa permanente nesta vida é a mudança. A Bíblia nos lembra: "Há um momento certo para tudo, um tempo para cada atividade debaixo do céu" (Ec 3.1). A mudança é simplesmente uma parte da vida.

Os ventos de mudança vão torná-lo mais forte ou derrubá-lo. No casamento, os problemas e as provações aproximam os cônjuges ou destroem o relacionamento. A doença e os ferimentos físicos podem destruir seu espírito ou torná-lo mais forte que nunca. Na carreira, uma oportunidade perdida pode apagar seu sonho ou inspirá-lo a aumentar as chamas com maior vigor. Tudo depende de sua reação.

VENTOS DE MUDANÇA

Como já vimos, a Bíblia aborda todos os aspectos do que significa ter vida em abundância. Sobreviver aos ventos de mudança trazidos por um furacão na vida não é exceção. Ao colocarmos princípios bíblicos em prática, veremos que é possível não apenas sobreviver aos ventos de mudança, mas também aproveitá-los para encher nossas velas e seguir navegando. O livro de Atos descreve uma perfeita tempestade de proporções bíblicas que aconteceu quando Paulo, prisioneiro num navio, ia para Roma:

O tempo mudou de repente, e um vento com força de furacão, chamado Nordeste, soprou sobre a ilha e nos empurrou para o mar aberto. Como os marinheiros não conseguiam manobrar o navio para ficar de frente para o vento, desistiram e deixaram que fosse levado pela tempestade.

Atos 27.14-15

Na primeira vez em que o navio enfrentou ventos com força de furacão, a tripulação tentou lutar contra ele. Tentaram abrir as velas e seguir pelo meio da tempestade, talvez para encontrar o centro mais calmo, porém logo perceberam a futilidade de seus esforços. É difícil parar uma tempestade em ação. A mudança é inevitável, e você pode desperdiçar muito tempo e energia tentando lutar contra ela. Se não aprender a adaptar-se às situações inesperadas da vida e caminhar junto com elas, seu navio será destruído. No meio dos piores ventos da vida, você pode ser tentado a apegar-se ao passado e romantizar como as coisas costumavam ser. Todos nós conhecemos pessoas que simplesmente não conseguem adaptar-se às mudanças. O vento muda de direção, e elas lutam em busca de segurança. Ficam paralisadas e se apegam às lembranças dos velhos e bons tempos.

A realidade é que, se não aprendermos a nos adaptar aos ventos de mudança, nunca desfrutaremos a vida. A mudança é assustadora, incerta e ameaçadora, mas também pode ser sadia, dinâmica, renovadora e necessária. Devemos aceitar o fato de que a vida é uma viagem e que nosso navio encontrará tempestades em alguns momentos. Permanecer na negação, tentando controlar ou apegando-se ao passado, nunca traz satisfação. A vida não navega ao redor dos ventos de mudança; a vida abundante está nessas mudanças da vida. Alfred Souza observou:

Por muito tempo pareceu-me que a vida estava prestes a começar — uma vida real. Mas sempre havia algum obstáculo no caminho, alguma coisa pela qual era necessário passar primeiro, algum negócio não concluído, um tempo para ainda ser servido, uma dívida a ser paga. Então a vida começaria. Finalmente descobri que esses obstáculos eram minha vida.

Vale a pena refletir

Qual época de sua vida você considera a mais feliz? Com que frequência pensa nela ou se vê desejando que ela retornasse? Como você compara a época atual de sua vida a essa? A nostalgia tem feito você perder oportunidades no presente?

ROTA DE COLISÃO

Crescer e aprender com as tempestades da vida exigem duas importantes ferramentas de navegação. Os capitães de navios que deparam com tempestades no mar aberto sabem que podem navegar contra a tempestade ou junto com ela. A maioria logo aprende que manobrar o navio contra os ventos do furacão provoca a quebra do mastro, como se fosse um graveto, e o esmagamento do leme pelas ondas fortíssimas. Em geral o melhor é navegar junto com a tempestade, embora isso alcance velocidades assustadoras, para evitar que o navio emborque. Precisamos ter essa mesma atitude e repensar como vemos a tempestade pela qual estamos passando.

Paulo estava acostumado a isso. Durante catorze dias, ele e os outros passageiros do navio foram cercados por chuva torrencial e céus escuros a ponto de não terem referenciais para orientá-los na navegação. “A tempestade terrível prosseguiu por muitos dias, escondendo o sol e as estrelas, até que perdemos todas as esperanças" (At 27.20). Eles começaram a perder as esperanças porque não podiam ver através da tempestade. Você provavelmente conhece a sensação. A tempestade está atingindo sua vida e nuvens escuras estão circulando há vários dias, semanas ou anos. Você está prestes a perder a esperança porque não consegue ver nada através da tempestade — nada para ajudá-lo a encontrar seu rumo. Se você está prestes a desistir, não faça isso! Como disse Winston Churchill: "Se estiver passando pelo inferno, continue caminhando".

A partir do exemplo de Paulo, podemos aprender como ele permaneceu calmo no meio da crise. Ele foi o único a bordo a manter a confiança porque optou por olhar além da tempestade. Ele pôde ver além das águas bravias e dos ventos tempestuosos, antevendo uma mudança positiva. A natureza humana nos inclina a olhar apenas para os problemas imediatos e seus efeitos colaterais, em vez de tentar enxergar um resultado potencialmente positivo. Nós nos tornamos negativos e deprimidos e ficamos desesperados para fugir da dor e do desconforto, em vez de olhar além, na direção dos efeitos de longo prazo. É comum culparmos a Deus e ficarmos amargurados pelo fato de ele não suavizar imediatamente nossa situação.

Deus não provoca as mudanças dolorosas na vida, mas as usa e deseja produzir o bem a partir delas. Uma maneira de ele fazer isso é promover o crescimento de nosso caráter. O psicólogo John Townsend diz que a imaturidade é o desejo de que a realidade se adapte a você. Durante as tempestades, as pessoas imaturas pensam: "Se a realidade for como quero, serei realmente feliz e me sentirei bem. Se a realidade não for como quero, eu me sentirei horrível e deixarei isso claro a todos". A maturidade, em contrapartida, adapta-se à realidade. Não é fácil. Somos forçados a reconhecer nossas fraquezas, deixar de lado nosso jeito de fazer as coisas e entrar em sintonia com um ritmo diferente e, às vezes, irritante. Acredite em mim; aprendi isso da pior maneira.

Alguns anos atrás, fiz uma viagem à Itália com minha família. Viajamos por todo o país de trem e logo percebemos que a cultura italiana tem seus horários próprios. Os trens nem sempre saíam ou chegavam no horário. Na verdade, isso raramente acontecia. Portanto, não foi surpresa o fato de nenhum funcionário das estações de trem ter-se alegrado quando eu disse que eles deveriam ser organizados e trabalhar em equipe. Minha frustração fervia aos poucos, até que acabou explodindo numa tarde. Depois de nossa estada em um hotel muito agradável, situado numa pequena cidade montanhosa da Itália, arrumamos nossa bagagem para nos dirigirmos a uma estação de trem. Havíamos reservado os assentos várias semanas antes em um trem que partiria em duas horas e meia. Acostumado a viajar com quatro filhos e muita bagagem, aprendi que o planejamento é fundamental. Assim, liguei para a companhia de táxi local e expliquei que iríamos precisar de um táxi em breve.

A atendente disse num inglês macarrônico:

— Por que você está ligando agora?

De maneira presunçosa, respondi:

— Porque preciso reservar um táxi agora. Somos seis pessoas e temos de sair daqui a duas horas. Só queria ter certeza de que seu táxi estará aqui a tempo de chegarmos à estação e pegar o trem — eu disse.

Enquanto eu explicava, ela me cortou:

— Ligue de novo quando precisar do táxi — e desligou. Esperei nervosamente por uma hora e liguei outra vez:

— Preciso reservar um táxi para daqui uma hora. Por favor, venha ao hotel em uma hora — eu disse.

Em um tom claramente irritado, ela disse de maneira rude:

— Não ligue agora. Ligue de novo quando você precisar do táxi!

Finalmente, dez minutos antes de precisar do táxi, liguei de volta. Então, a atendente disse:

— Sinto muito, todos os táxis estão ocupados.

Perdi a compostura. Com certeza não foi um dos momentos de que mais me orgulho. Estava profundamente frustrado com aquele jeito surreal de fazer as coisas. Nem preciso dizer que perdemos o trem. Contudo, esse momento revelou-se de transição em nossa viagem. Percebemos que tínhamos de mudar a maneira como enxergávamos nossa temporada naquele país. Acabamos aceitando que não teríamos sucesso em nossa tentativa de mudar a cultura italiana e, ainda que de maneira relutante, começamos a relaxar e seguir a correnteza. Chegaremos lá quando der. Talvez os italianos não façam tudo dentro do horário, como gostaríamos, mas talvez saibam algo mais sobre um ritmo mais natural de viver cada dia. A cultura italiana não mudou; nós mudamos. Nós nos adaptamos e, no final da viagem, já nos sentíamos locais. Foram as férias mais felizes que tivemos — uma de nossas melhores lembranças.

ÁREA DE CARGA

A realidade exige que mudemos nossa maneira de ver o mundo. A perspectiva também pode ajudar-nos a clarear as prioridades. Se tivesse apenas um mês para viver, você não precisaria deste livro para lhe dizer em que se concentrar hoje. Em nossa rotina e por nosso jeito de ser, contudo, é comum perdermos de vista o que é mais importante. A mudança pode deixar nossas prioridades mais claras e iluminar aquilo que de fato importa.

Durante a jornada de Paulo no meio da tempestade, a carga que era tão importante passou a significar pouco diante da perda das vidas no navio. Em Atos 27.18, Lucas registrou: "No dia seguinte, como ventos com força de vendaval continuavam a castigar o navio, a tripulação começou a lançar a carga ao mar". A tripulação começou a livrar-se de tudo o que não estava preso para aliviar a carga, a fim de que o navio não afundasse. A mesma carga que eles colocaram cuidadosamente no navio — tenho certeza de que a palavra "frágil" estava escrita em vários caixas — naquele momento era jogada ao mar com urgência. O que era considerado valioso apenas alguns dias antes de repente parecia inútil. Seremos forçados a reavaliar nossas prioridades sempre que as tempestades estiverem soprando em nossa vida e nosso navio estiver sendo atingido. Uma das mais importantes prioridades definitivamente atingirá o topo: os relacionamentos.

Vale a pena refletir

Qual "carga" tangível você perdeu em um dos furacões de sua vida? Qual carga precisou jogar fora intencionalmente para que sobrevivesse à tempestade? De que maneira suas prioridades mudaram como resultado da perda de itens materiais?

ÂNCORA INABALÁVEL

Embora seja necessário aprender a se adaptar e mudar o curso a fim de vencer a tempestade, é preciso saber o momento de lançar a âncora e se fixar no lugar. Na história de Paulo, Lucas escreveu: "Temiam que, se continuássemos assim, seríamos atirados contra as rochas na praia. Por isso, lançaram quatro âncoras da parte de trás do navio e ansiavam para que o dia chegasse logo" (At 27.29). Você precisa de uma âncora que nunca se altera: "Jesus Cristo é o mesmo, ontem, hoje e para sempre" (Hb 13.8). Ainda que tudo mude a sua volta, Deus nunca muda. Ele é o mesmo Deus desde os tempos bíblicos. Ele pode realizar o mesmo milagre em sua vida hoje e será o mesmo Deus amanhã. Paulo teve confiança durante a tempestade porque sabia dessa verdade e agiu de acordo com ela. Em Atos 27.23, ele explicou: "Pois, ontem à noite, um anjo do Deus a quem pertenço e sirvo se pôs ao meu lado". Deus ancorou Paulo com sua presença e continua a nos ancorar da mesma maneira, ainda que não vejamos anjos.

Quando os ventos do furacão soprarem em sua vida, lembre-se de que Deus sabe exatamente onde você está. Talvez você tenha a impressão de que Deus está em algum outro lugar distante e o deixou completamente sozinho. Ainda que não sinta sua presença, Deus está com você. Ele está por trás da tempestade, no meio da tempestade, além da tempestade, sempre ali, esperando você, sempre presente.

Neste exato momento, à medida que as nuvens se juntam e os ventos aumentam, você pode imaginar que uma tempestade começa a rodear sua vida. Você está com medo, irado, deprimido, ansioso. Você não vê a hora de sair dessa. A tempestade pode exigir que você se desfaça da carga, até mesmo de seu navio — como aconteceu com Paulo. (A propósito, todos os passageiros sobreviveram, embora o navio tenha sido destruído.) Você pode estar enjoado, molhado, abatido e fraco. Mas você vai conseguir. Deus vai ajudá-lo com a âncora inabalável de sua presença.

Talvez a principal razão de estar lendo esta página neste exato momento é ser lembrado de que Deus está no meio da tempestade com você. "'Porque eu sei os planos que tenho para vocês', diz o SENHOR. 'São planos de bem, e não de mal, para lhes dar o futuro pelo qual anseiam'" (Jr 29.11). Não importa quão devastadora seja a tempestade, ele vai ajudá-lo a passar por ela. Tendo Deus como seu navegador, você saberá quando seguir com a tempestade, lançar a âncora e permanecer firme.

PARA A VIDA TODA

1. Se você soubesse que tem apenas um mês para viver, qual "carga" jogaria para fora do barco? Em outras palavras, como simplificaria sua vida? De que bens materiais abriria mão, quais venderia ou jogaria fora? Quais itens de sua agenda seriam os primeiros a desaparecer? O que o prende a essa carga neste exato momento? Faça um inventário dos itens de que precisa desfazer-se para que seu navio continue a navegar com tranquilidade.
2. De que maneira sua fé o sustentou durante algumas das tempestades do passado? O que você aprendeu sobre si mesmo com a tempestade mais recente? O que aprendeu sobre Deus? Passe algum tempo em oração, firmado em sua Âncora, agradecendo-lhe pela maneira como ele o sustentou e continua a mantê-lo firme.
3. Quais tempestades você está enfrentando em sua vida hoje? Você está sendo fortalecido ou dilacerado por elas? Lembre-se: você não pode escolher as provações de sua vida, mas sim sua reação diante delas. Qual reação você escolherá hoje?

Dia 19

Metamorfose

Mudando de dentro para fora

Abra espaço para tudo o que tem o poder de alegrar, expandir e acalmar o coração.

Gerhard Tersteegen

Como se pode virar borboleta?... É preciso ter uma vontade tão grande de voar a ponto de desistir de ser lagarta.

Trina Paulus

As pessoas que descobrem que seu tempo é limitado muitas vezes fazem mudanças radicais no estilo de vida. Abrem mão do vício no trabalho e diminuem o ritmo de vida, passando mais tempo com os entes queridos, com Deus e sozinhas, refletindo. Abandonam o acúmulo e a busca de bens materiais, e finalmente desfrutam tudo aquilo que já possuem. Descobrem os simples prazeres de sentar-se enrolado num cobertor ao lado de uma lareira, lendo um bom livro, ou de fazer um piquenique à sombra de uma grande árvore num dia de verão. Sua condição física pode forçá-las a agir mais devagar, mas a maioria dá boas-vindas à oportunidade de abandonar a esteira de velocidade supersônica em que sua vida se tornou.

Se tivesse apenas um mês para viver, você provavelmente diminuiria o ritmo e enxergaria de modo diferente cada um dos dias que lhe restam. Diversas pessoas que conheci em fase terminal disseram que, por ironia, sentiram-se aliviadas quando receberam o diagnóstico. A redução de ritmo e as mudanças radicais impostas pelo físico lhes ofereceram algo pelo qual sua alma clamava havia muito tempo.

Existe em nós o desejo de diminuir o ritmo e mudar a maneira como vemos a vida. Na verdade, você não estaria lendo este livro se não quisesse mais da vida, de seus relacionamentos com as outras pessoas e de seu relacionamento com Deus. Você sente a urgência de extrair o máximo da vida, mas é muito comum distrair-se com o excesso de afazeres ou concentrar-se em coisas que não satisfazem seus mais profundos desejos.

Nossa inquietação se manifesta numa doença da alma, um crescente descontentamento que alcançou proporções épicas na sociedade do século XXI. Ganhamos mais dinheiro e desfrutamos mais facilidades que nossos antepassados; contudo, nós não somos mais felizes que eles. Achamos que as férias nos permitirão uma diminuição do ritmo, mas quando chegamos ao destino descobrimos que esquecemos como relaxar. Temos dificuldade de passar tempo sozinhos. Não sabemos como nos conectar a nós mesmos, quanto mais àqueles a quem amamos.

PROBLEMAS DE MOBILIDADE

Nossa agenda gira num ritmo tão acelerado que começamos a ter problemas de mobilidade espiritual, um dos principais sintomas de doença crônica da alma. Qual é a primeira coisa que fazemos quando temos problemas de mobilidade da alma? Andamos ainda mais rápido. Mudamos para o próximo grande sonho, em busca de satisfação. Talvez uma casa nova, um carro novo, um cônjuge novo, um relacionamento novo. Pode ser o mais novo e sofisticado aparelho de alta tecnologia, a próxima viagem a um local desconhecido e exótico, o próximo bilhete de loteria.

Esses desejos em si não são necessariamente ruins, mas o que nos motiva a buscá-los é errado. O único lugar onde é possível sanar a inquietação da alma é dentro de nós. Em sua carta aos Romanos, Paulo descreve como podemos dar início a essa transformação: "Não imitem o comportamento e os costumes deste mundo, mas deixem que Deus os transforme por meio de uma mudança em seu modo de pensar, a fim de que experimentem a boa, agradável e perfeita vontade de Deus para vocês" (Rm 12.2).

Nessa receita de Paulo, a palavra-chave é "transformar"; vem do verbo grego *metamorphoo* (de onde vem *metamorfose*), que significa literalmente "ser transformado de dentro para fora". O segredo para uma maturidade cheia de fé é ser mudado de dentro para fora, é passar por uma metamorfose na alma. Ora, quando penso na palavra *metamorfose*, lembro-me de uma borboleta. A lagarta forma uma crisálida e inicia o processo de transformar-se naquele lindo ser com asas. Ela não espera que algo ao redor mude; ela muda de dentro para fora, tornando-se exatamente aquilo para o que foi criada.

É muito comum esperarmos que alguém ou algo externo nos transforme. Culpamos o cônjuge por não nos satisfazer em termos emocionais, nossa igreja ou nosso pastor por não nos satisfazer espiritualmente, nosso trabalho por não satisfazer nossos propósitos. Mas o jogo da culpa apenas atrasa o inevitável se, de fato, quisermos superar a doença e ter uma alma saudável e dinâmica. É hora de assumir a responsabilidade por nosso próprio crescimento. Se for necessário mover-se ainda que seja um centímetro para ser feliz, você nunca alcançará a felicidade. Aonde quer que vá, seu eu descontente irá com você. A questão não é o que está do lado de fora, mas o que está do lado de dentro. Um antídoto para o problema de mobilidade de nossa alma é a quietude, a antiga arte de permanecer tranquilo. Por acaso a lagarta sobe na crisálida e se esforça para ser transformada numa borboleta? Não, a lagarta fica imóvel, e a transformação acontece.

O crescimento e a transformação espirituais só ocorrerão em sua vida quando você se aquietar e parar de se mexer. Paulo nos lembra: "Mantenham os olhos fixos nas realidades do alto" (Cl 3.1). Você não consegue fixar a atenção em Deus enquanto está correndo. Lemos em Salmos 46.10: "Aquietem-se e saibam que eu sou Deus!". Se nos aquietarmos diante de Deus, seremos transformados. Considere os tão conhecidos versículos de Salmos 23.2-3: "Ele me faz repousar em verdes pastos e me leva para junto de riachos tranquilos. Renova minhas forças". O movimento e a comoção prejudicam a alma, mas a tranquilidade a restaura.

Vale a pena refletir

Quando foi a última vez em que você ficou parado, em tranquilidade? Quando foi a última vez em que desligou a televisão e permaneceu quieto por trinta minutos? Quando foi a última vez em que tirou férias e não leu seus e-mails nem atendeu ao celular?

CONTROLE DA MISSÃO

Graças ao avanço da ciência, da pesquisa e da tecnologia, recebemos todos os dias novas informações sobre como melhorar a vida, permanecer saudáveis e progredir na carreira profissional. Não há nada de errado com essas informações; mas elas podem dar a falsa sensação de segurança, de que podemos controlar tudo. Despendemos enorme quantidade de energia tentando moldar nossa imagem e agindo como se tudo estivesse bem, para que ninguém perceba que não está. Tentamos controlar os problemas, a dor. Tentamos controlar os outros, mas eles simplesmente não cooperam, o que é tão frustrante! Se pudéssemos controlar qualquer pessoa e levá-la a fazer o que desejamos, o mundo seria um lugar melhor, não é mesmo? Mas não é assim que a vida funciona, graças a Deus. A maneira mais rápida de sufocar a alma é tentar controlar tudo.

O antídoto para a febre de controle de que todos nós sofremos é a solitude, o tempo que passamos sozinhos conosco mesmos e com Deus. Quando eliminamos todas as distrações e nos colocamos diante dele, o Senhor começa a restaurar nossa alma. Durante esses momentos, podemos reconhecer quão pouco controle de fato temos sobre tudo. Podemos expressar nossas preocupações, inquietações, temores e dúvidas, pedindo que o controle de Deus domine nossa vida.

Geralmente não nos sentimos à vontade com a solidão. Sem a necessidade de manter aparências, somos forçados a encarar quem realmente somos. Mas se realmente desejamos a cura e o fortalecimento da alma, então devemos dedicar-nos a ter um tempo regular a sós. "Assim diz o SENHOR Soberano, o Santo de Israel: 'Vocês só serão salvos se voltarem para mim e em mim descansarem. Na tranquilidade e na confiança está sua força'" (Is 30.15). Se pararmos de tentar resolver todos os problemas e de controlar tudo, a quietude preencherá nossa alma com vigor.

COMPULSÃO PELA COMPARAÇÃO

Outro sintoma da doença da alma surge quando nos sentimos compelidos a fazer comparações com as pessoas a nossa volta para saber quem somos e qual é nosso valor. Nós nos medimos para ver como estamos, muitas vezes usando símbolos de *status* e de meras aparências em nossa avaliação. Analisamos o que os outros estão vestindo, onde estão morando, o que estão dirigindo, onde estão trabalhando e quais são as notas e realizações de seus filhos. Quando usamos símbolos de *status* para determinar nosso valor e nossa identidade em relação aos outros, nossa alma seca.

Se você valoriza esses símbolos, está na verdade tentando transmitir a aparência de uma vida sadia, equilibrada e bem-sucedida, sem que isso de fato esteja acontecendo. Você está tentando mudar de fora para dentro, pensando que se sentirá melhor por dentro se mudar as coisas visíveis do lado de fora. Pensamos assim: "Se eu mudar minha aparência, minha casa ou meu carro, mudarei a mim mesmo e ficarei contente de verdade". Só há um problema: isso não funciona.

A metamorfose é um processo que começa de dentro. Acho fascinante o fato de as cores de uma borboleta não serem geradas por pigmentos, mas por um efeito semelhante ao do prisma, conforme a luz é refletida em suas asas transparentes. Apesar da variedade de cores e modelos, e da estrutura dos desenhos, as asas das borboletas são transparentes. Do mesmo modo, na nossa vida, a transparência transforma. Quando somos transparentes com Deus e com os outros, quando somos aquilo que Deus queria que fôssemos, em vez de tentar fingir que somos outra pessoa, nossa beleza singular e individual aparece.

É muito interessante notar que o antônimo de metamorfose é a palavra grega *metaschematizo*, cujo significado é "mudar a aparência exterior". Daí vem a palavra *mascarado*. Muitas vezes nos mascaramos para parecer que está tudo bem quando, na verdade, temos uma ferida profunda na alma. Deus diz que precisamos de uma metamorfose, não de uma máscara. A mudança real se inicia do lado de dentro; depois o exterior muda naturalmente, ao refletir o que há no interior.

O melhor antídoto que conheço para a comparação (ou síndrome dos símbolos de *status*, como também é conhecida) é o serviço. Não apenas servir a qualquer pessoa, mas àqueles que não podem dar nada em troca. A rede de relacionamentos, formada pelo convívio social e pelos relacionamentos comerciais, é essencial, mas quando nos doamos a alguém que não pode retribuir, eliminamos todas as barreiras e nos envolvemos mais plenamente. Não se trata mais de comparação, mas de compaixão.

Vale a pena refletir

Neste exato momento, a quem você está servindo que não pode oferecer-lhe nada em troca? Qual pessoa de seu convívio precisa de você, mas não pode retribuir sua ajuda? O que o impede de doar-se a essas pessoas?

CRISE DE CONFORTO

Em geral nosso objetivo na vida é nos sentirmos confortáveis. Contudo, quando nosso anseio por conforto afeta a busca de Deus, ficamos estagnados, aborrecidos e deprimidos. O sintoma final da doença da alma presente na vida moderna surge quando tentamos isolar-nos da dor, do sofrimento, da dificuldade e do desconforto. O vírus da zona de conforto roubará nossa felicidade e fará nossa alma murchar.

A inquietude de nossa alma continuará a crescer se insistirmos em evitar os problemas. Voltando ao ensino de Paulo em Romanos, recebemos a seguinte instrução: "Alegrem-se em nossa esperança. Sejam pacientes nas dificuldades e não parem de orar" (Rm 12.12). Perceba que Paulo não diz "se vierem dificuldades", mas pode-se entender que ele as considera algo certo. Todos nós com certeza encontraremos provações. Muito provavelmente você está enfrentando desafios neste exato momento. À medida que olha adiante, é bem possível que veja mais provações. Não importa se você é jovem ou velho, rico ou pobre, se está na zona rural ou numa metrópole: o sofrimento faz parte da vida. Ninguém está imune a tragédias nem livre de problemas. A chave é lembrar que no centro de todo problema existe um propósito, uma revelação de Deus agindo em nossa vida. Nossa força cresce à medida que nos apoiamos no Senhor durante as lutas.

Lembro-me de um garoto que encontrou uma crisálida no galho de uma árvore. A princípio ele achou que ela se movia, mas então percebeu que uma borboleta lutava para romper o invólucro. Sentiu pena da borboleta e, assim, pegou um canivete para ajudá-la a sair. Abriu a crisálida, puxou a borboleta para fora e segurou-a na mão, esperando que ela voasse. Mas ela não se moveu e, depois de alguns minutos, estava morta. Quando o desafio de sair da crisálida foi removido, foi negada à borboleta a oportunidade de fortalecer suas asas. Com asas fracas e molhadas, a borboleta era incapaz de sobreviver. Ela precisava da luta para se desenvolver, do mesmo modo que precisamos das dificuldades para nos desenvolver. Não há como sermos transformados de dentro para fora sem os problemas.

Deus permite a provação em nossa vida porque o único antídoto para o vírus da zona de conforto é o sofrimento. Você não precisa sair por aí procurando por ele; o sofrimento chegará até você. Todos nós experimentamos feridas profundas à medida que deparamos com a tragédia, a perda e a dor. Eu gostaria de poder dizer que, se você ama Deus e o busca de todo coração, nunca enfrentará morte na família, nunca perderá o emprego, não terá um relacionamento rompido nem ficará doente. Mas não posso dizer isso porque o sofrimento se abate sobre todos nós. A chave é reconhecer que não foi Deus quem causou o problema, mas que o permite com o objetivo de fortalecer nossas asas para que possamos nos desenvolver e alcançar nosso pleno potencial. Se reclamarmos e gemermos, fazendo o papel de vítimas, o sofrimento não fará nada por nós, e nossas tristezas serão desperdiçadas. Mas Deus não deseja desperdiçar uma ferida, uma lágrima ou um lamento. Deus deseja que suportemos o sofrimento com graça, o que conseguimos pela confiança que depositamos nele.

A graça é o poder de mudar — não aquilo que podemos fazer por nós mesmos, mas aquilo que Deus faz por nós e por nosso intermédio. Quando nos acalmamos e ficamos em silêncio, quando começamos a servir e aceitar o sofrimento em nossa vida, abrimos as portas para a verdadeira transformação espiritual. Aprendemos que não podemos resolver os problemas com nossa própria força, alterando nossa aparência exterior e esperando que a vida mude. A metamorfose acontece apenas pela graça. Se você tivesse apenas um mês para viver, interromperia o movimento contínuo de uma vida ocupada e descobriria maneiras de desfrutar a quietude e a solitude. Tentaria nutrir sua alma substituindo as comparações pelo amor e serviço ao próximo. Buscaria uma maneira de sofrer com graça, confiando no futuro que não se pode ver nem sentir, e nas promessas de Deus. Muitas pessoas são forçadas a tentar todas essas mudanças ao mesmo tempo porque o corpo adoeceu. A boa notícia é que você pode começar hoje mesmo a aliviar os sintomas do desconforto da sua alma e descansar no bálsamo curador da graça de Deus.

PARA A VIDA TODA

1. Planeje sua semana de modo que possa passar pelo menos uma hora sozinho, sem interrupções. Avise às pessoas que você não receberá ligações nem responderá a e-mails nesse período. Se necessário, vá a algum lugar onde não seja perturbado. Não leve nada para ler, escrever ou ouvir. Simplesmente passe algum tempo em quietude. Você pode olhar pela janela, caminhar num bosque ou ficar quieto em seu escritório depois do expediente.
2. Nos últimos tempos, como você tentou mudar ou alterar a aparência ou as circunstâncias externas? Pense numa mudança em sua agenda ou seu estilo de vida que permitiria um tempo regular sozinho com Deus.
3. Pense nas pessoas de seu convívio neste momento. Escolha uma nova pessoa para fazer amizade, alguém que precise mais de você do que o contrário. Descubra uma maneira de servir essa pessoa.

Dia 20

Terremoto

Construindo um alicerce duradouro

Deus sussurra em nossos prazeres,
fala em nossa consciência,
mas grita em nossas dores;
é seu megafone para despertar um mundo surdo.

C. S. Lewis

A dor é inevitável, mas a infelicidade é opcional.
Não podemos evitar a dor, mas podemos evitar a alegria.

Tim Hansel

Uma das mais difíceis lições da vida é aceitar a perda. Trata-se de um processo contínuo, pois tudo muda constantemente e somos forçados a encarar a dura realidade de um mundo que está longe de ser perfeito. Não importa se você é solteiro ou casado, professor ou aluno, executiva ou dona de casa: provavelmente já enfrentou algum momento em que seu mundo foi abalado. O casamento parecia indissolúvel; seu pai ou sua mãe se exercitava todos os dias; os negócios iam muito bem. De repente, o divórcio, o ataque do coração ou a falência criaram ondas sísmicas que provocaram enorme destruição.

Nesses momentos, nossa fé pode ser abalada em seu âmago. De um lado, as provações e perdas dolorosas nos forçam a depender de Deus — a recorrer a ele em busca de conforto, paz, amor e misericórdia. De outro, porém, podemos ficar irados e revoltados com Deus porque não entendemos a razão de ele ter permitido a tragédia, a perda ou a catástrofe. É difícil aceitar que nossa liberdade de escolha tenha um preço tão alto: a tristeza e a angústia de um mundo imperfeito. Mas Deus nunca nos abandona. Ele sofre conosco e sabe mais que qualquer um o que significa perder um filho, ser rejeitado por seu povo, ser traído por um amigo. Veja o que Jesus diz: "Aqui no mundo vocês terão aflições, mas animem-se, pois eu venci o mundo" (Jo 16.33). Jesus disse que os problemas são parte natural da vida, mas eles não nos devem deixar arrasados.

Se tivéssemos apenas um mês para viver, gostaríamos que nossa vida suportasse o impacto dessas notícias e construísse um alicerce duradouro para todos os que deixamos aqui. A única maneira de fazê-lo é fortalecer o alicerce todos os dias, pedindo ao Mestre Construtor instruções e orientação para edificar a vida.

ROCHA FIRME

Quando chegam os terremotos da vida, descobrimos do que somos feitos e sobre o que nos estruturamos. Será que estamos vivendo com um falso senso de segurança, sentados em cima de uma grande falha geológica? Será que até mesmo a menor atividade sísmica pode jogar-nos no chão?

Ninguém questiona o fato de que um alicerce sólido é a chave de sustentação de um prédio, para que tenha força estrutural de cima a baixo. Um alicerce inabalável também é fundamental para a construção de uma vida significativa, um casamento duradouro, uma família forte e uma empresa bem-sucedida. Jesus usa essa verdade para ilustrar nossa necessidade de um alicerce sobrenatural que possa suportar qualquer desastre ou tragédia:

> Quem ouve minhas palavras e as pratica é tão sábio como a pessoa que constrói sua casa sobre uma rocha firme. Quando vierem as chuvas e as inundações, e os ventos castigarem a casa, ela não cairá, pois foi construída sobre rocha firme.
>
> Mateus 7.24-25

No mundo moderno, as famílias se desintegram porque estão construídas sobre solo instável. Não há como prever a chegada de um terremoto na vida, mas Jesus diz que podemos proteger-nos construindo sobre o alicerce correto, e a maneira de fazê-lo, conforme nos ensina Jesus, é colocar suas palavras em prática. De acordo com ele, o segredo não está no conhecimento que se tem da Bíblia, mas sim em quanto ela é colocada em prática diariamente. Quão genuína é sua fé? Se exercê-la todos os dias, quando o terremoto chegar, você estará preparado para suportá-lo e ser fortalecido. As Escrituras revelam os segredos para colocar a Palavra de Deus em prática e construir um alicerce indestrutível.

Primeiro, você precisa de um núcleo sólido na sua vida. Em Mateus 22.37-39 Jesus revela esse núcleo no Grande Mandamento:

> Jesus respondeu: "Ame o Senhor, seu Deus, de todo o seu coração, de toda a sua alma e de toda a sua mente". Este é o primeiro e o maior mandamento. O segundo é igualmente importante: "Ame o seu próximo como a si mesmo".

No casamento, é fácil ver o cônjuge como fonte da felicidade, como aquele que satisfaz suas mais profundas necessidades de alegria, propósito e significado. Mas nenhum ser humano tem condições de sustentar outra pessoa nesse nível. Ao buscar no cônjuge a satisfação que somente Deus lhe pode dar, você coloca pressão demais sobre seu marido ou sua esposa e sobre o relacionamento.

Se Deus não estiver na base de sua vida quando o terremoto dos problemas acontecer — e ele certamente acontecerá —, sua base não será forte o suficiente para segurá-lo. Se você tiver uma base sólida, terá uma vida sólida. Uma base fraca faz sua vida desmoronar. Se você sente que sua vida está desmoronando, precisa examinar o que está na base dela. Nunca é tarde demais para pedir a Deus que seja a base de sua vida e para construir sobre a verdade dele, que é o alicerce seguro. Não importa quanto a terra trema ou quantos relacionamentos ou empreendimentos desabem a seu redor: com Deus como alicerce inabalável, você permanecerá firme. "Busque a vontade dele em tudo que fizer, e ele lhe mostrará o caminho que deve seguir" (Pv 3.6). Deus quer ser o alicerce de todas as áreas de sua vida: casamento, família, negócios e finanças.

Vale a pena refletir

Neste momento, sua vida está girando em torno do quê? Quem ou o que está no centro da roda de sua vida? A família? O trabalho? Um sonho? Um objetivo? De que maneira esse centro tem sustentado você? De que modo ele o deixou suscetível a tremores circunstanciais?

VIGILÂNCIA COMUNITÁRIA

Outra forma fundamental de construir um alicerce seguro é ter uma comunidade que se importa, um sistema de apoio humano. Você precisa de um grupo de pessoas a seu redor que o amem pelo que você é, não pelo que faz. Você precisa de amigos que caminhem a seu lado quando todo o mundo se afastar. Como é possível saber quem são seus amigos? É simples:

quando o momento é difícil, eles estão a seu lado. Não ficam por perto somente quando tudo está bem. Você deve ter alguns conhecidos a quem chama de "amigos", provavelmente pensa neles com carinho e gosta muito de sua presença. Mas, quando os tremores começam, os conhecidos não suportam a agitação. Eles se levantam e vão embora, largando você nos escombros. Os amigos verdadeiros caminham lado a lado com você e o sustentam nas dificuldades.

Deus planejou uma forma de satisfazer essa necessidade de comunhão: a igreja. Quando um amigo ou um familiar passa por um terremoto, nós nos reunimos a sua volta e o ajudamos a permanecer firme, auxiliando na reconstrução e cuidando dele. Você precisa desse sistema de apoio porque ninguém pode ser bem-sucedido sozinho.

> É melhor serem dois que um, pois um ajuda o outro a alcançar o sucesso. Se um cair, o outro o ajuda a levantar-se. [...] Sozinha, a pessoa corre o risco de ser atacada e vencida, mas duas pessoas juntas podem se defender melhor. Se houver três, melhor ainda, pois uma corda trançada com três fios não arrebenta facilmente.
>
> Eclesiastes 4.9-10,12

Deus nos projetou para viver em comunidade e, assim, podemos com alegria oferecer ajuda quando os outros precisam dela e graciosamente aceitar ajuda quando passamos por necessidades.

Vale a pena refletir

Quais são as pessoas que o têm encorajado, desafiado e apoiado de maneira consistente? Se tivesse apenas um mês para viver, o que gostaria de dizer a essas pessoas?

ABRIGO NA TEMPESTADE

Ao enfrentar terremotos inesperados, nunca se esqueça de que você tem um abrigo. Você pode correr para uma fonte de paz que ultrapassa a compreensão. Deus diz: "Clamem a mim em tempos de aflição; eu os livrarei, e vocês me darão glória" (Sl 50.15). Deus deseja que nos voltemos para ele em primeiro lugar quando os problemas surgirem. Nós, porém, tentamos primeiro resolver tudo e, então, quando a vida começa a desmoronar e nossos recursos se esgotam, acabamos voltando-nos para Deus e dizemos: "Bem, acho que não há mais nada a fazer senão orar!".

Essa fórmula, contudo, deve ser invertida: a oração tem de ser a primeira reação, não o último recurso. Deus diz: "Volte-se para mim em primeiro lugar, ore sobre isso, porque estou bem aqui a seu lado". Como é possível saber se Deus é realmente o núcleo de sua vida? Resposta: você para de se preocupar! Sempre que você se preocupa, é sinal de que Deus foi tirado do primeiro lugar e outra coisa o substituiu como centro de sua vida. Sempre que coloca Deus em primeiro lugar em determinada área, você deixa de se preocupar com ela. Se Deus não for o primeiro em seu casamento, você se preocupará com o relacionamento. Se não for o primeiro nas finanças, você se afligirá com a conta bancária. Se Deus não for o primeiro nos negócios, você não conseguirá dormir à noite. Sempre que começamos a nos preocupar, perdemos nosso abrigo e ficamos expostos aos elementos que podem abalar nossa fé.

Enquanto seu coração bater, você terá problemas. Mas posso assegurar: Jesus Cristo caminhará lado a lado com você e jamais o desapontará. Veja o que Davi disse:

> Se o SENHOR não tivesse me ajudado,
> eu já estaria no silêncio do túmulo.

Gritei: "Estou caindo!",
mas o teu amor, SENHOR, me sustentou.
Quando minha mente estava cheia de dúvidas,
teu consolo me deu esperança e ânimo.

Salmos 94.17-19

Você pode estar no meio do maior terremoto de sua vida neste exato momento, sendo abalado até o alicerce. Você sabe que não provocou essa situação, e está pensando por que Deus permitiu que isso acontecesse. Talvez você nunca descubra a resposta enquanto estiver deste lado da realidade. Mas se amar e conhecer a Deus, se entregou seu coração a seu Filho, ele o segurará em seus braços e nunca o deixará sair.

Quando somos confrontados por um desafio, nossa primeira reação é normalmente dizer: "Deus, tire-me dessa situação. Preciso de um milagre aqui. Deus, resolva esse problema, e depressa!". Mas Deus muitas vezes nos responde com sua presença, não com seus presentes. Ele diz: "Não vou livrá-lo disso. Não existe um botão mágico nem uma solução instantânea. Este é meu plano: vou segurá-lo e conduzi-lo por um terreno sólido. Estou com você no tremor da terra e quando tudo está bem".

No dia em que sua filha completou doze anos, o cantor Billy Joel, que estava na Califórnia, ligou para ela em Nova York e disse: "Querida, sinto muito, não posso estar aí com você neste dia especial, mas enviei uma coisa bem bacana. Não vou dizer o que é, mas seu presente vai chegar no fim da tarde. Espere". Mais tarde, naquele dia, sua filha ouviu o toque da campainha. Foi até a varanda e viu uma enorme caixa de presente, com um laço gigante em cima. Ela não imaginava o que poderia ser. Começou a abri-lo, rasgando o embrulho e, então, o próprio Billy Joel saiu da caixa! Ela ficou muito surpresa. O melhor presente que podia ter recebido naquele dia era a presença de seu pai.

Do mesmo modo, Deus já lhe deu seu maior presente. Não sei quais desafios você está enfrentando na vida neste exato momento, mas Deus sabe. Ele entende como você se sente. Ele chora com você pela dor que você sente no coração e tem o poder de transformar sua vida.

PARA A VIDA TODA

1. Descreva como foi a última vez em que você sentiu os abalos de um terremoto na vida — sua provação mais recente. De que maneira ela o desafiou e virou sua vida de cabeça para baixo? Em que aspectos você mudou por causa desse terremoto? Você diria que sua fé e seu relacionamento com Deus se fortaleceram ou se enfraqueceram depois disso?
2. Quem você considera amigo de verdade? Não apenas um conhecido, mas alguém em quem confie em meio a uma crise ou dor profunda. Se for difícil pensar em alguém, lembre-se de que a maneira mais segura de ter amigos verdadeiros é ser um amigo verdadeiro. Quem precisa de sua ajuda ou incentivo hoje?
3. Faça uma lista de presentes que você gostaria de receber de Deus. Pode ser um emprego diferente, um novo relacionamento ou a recuperação de sua saúde. Considere o que significa desejar a presença de Deus mais que qualquer um desses itens.

Dia 21

Tentando outra vez

Jogando com integridade

Proteja o palco secreto do coração. Não encene nada nele que não queira na realidade.

Roy H. Williams

Qual é a diferença entre a escola e a vida? Na escola, você aprende uma lição e então uma prova lhe é aplicada. Na vida, uma prova lhe é aplicada e então você aprende uma lição.

Tom Bodett

Se tivesse apenas um mês para viver, muito provavelmente você gostaria de rever sua vida e examinar seu caráter. Com certeza, faria tudo o que pudesse para aprender com os erros do passado, eliminar as rugas adquiridas e viver o restante dos dias em paz. Desejaria que sua vida fosse íntegra e completa, não dividida e fragmentada como parece ficar quando passamos por problemas e nos contentamos com menos que aquilo para o que fomos criados. Se vivesse com liberdade e entusiasmo, sentindo-se plenamente vivo, você almejaria viver com integridade.

Essa palavra é muito usada hoje em dia, sobretudo nos círculos políticos, mas qual é seu verdadeiro significado? A raiz da palavra *integridade* é "inteiro". Como você deve lembrar das aulas de matemática, um número inteiro é completo, o oposto de uma fração. Assim, integridade significa plenitude, o inverso de fragmentado ou rompido. Quando há falta de integridade, agimos de uma maneira na igreja, outra no trabalho ou na escola. Agimos de uma maneira com os amigos, outra em casa e com a família. Um sinal de verdadeira maturidade e força de caráter é ser a mesma pessoa sempre, não importa onde ou com quem estivermos. Integridade é plenitude, é consistência plena, é ser totalmente honesto. "É melhor ser pobre e honesto que ser rico e desonesto" (Pv 28.6).

Como vemos nesse provérbio, não se pode estabelecer um preço pela integridade. A pessoa com integridade tem uma vida cheia de paz, paixão e propósito. Quando você é a mesma pessoa no trabalho, na igreja, com a família e os amigos, esteja no jogo ou no restaurante, sua vida é preenchida por uma serena unidade. Você não fica o tempo todo ajeitando-se e fazendo manobras, analisando quem deve ser nos vários papéis e cenários da vida.

Ao que parece, os esportes revelam o que existe de melhor e pior em nós. Para mim, um dos lugares onde a integridade fica mais evidente é o campo de golfe. Sendo um ávido golfista, descubro muito sobre o perfil de uma pessoa ao jogar com ela. No campo, posso dizer quanto uma pessoa é competitiva, criativa e honesta, assim como descobrir a maneira como lida com a adversidade. Faço minhas as palavras de John Wooden: "Os esportes não constroem o caráter; eles o revelam". Além de fornecer um espelho nítido da integridade de uma pessoa, o golfe é uma ilustração de como podemos desenvolver mais integridade na vida.

JOGADORES COMPLETOS

Os jogadores profissionais de golfe que vencem a maioria dos campeonatos são considerados completos. Veja, por exemplo,

Tiger Woods. Ele lança a bola a uma grande distância e com precisão. Tem uma excelente performance também quando joga perto do buraco. Se somar tudo isso, entenderá porque ele se tornou o jogador número um do mundo. De fato, ele era um jogador completo. Se você analisar qualquer um dos campeões da Associação de Golfistas Profissionais (PGA, na sigla em inglês) de qualquer ano, muito provavelmente verá que os vencedores são jogadores completos. Eles podem ter sido notáveis em alguns aspectos, mas, de modo geral, dominaram as habilidades necessárias para jogar bem em todas as áreas.

A integridade pessoal tem um funcionamento semelhante. Se quisermos viver num estado de força e paz integrais, devemos ser jogadores completos. Devemos incorporar nossas crenças e nossos valores fundamentais a tudo o que fizermos, não apenas a algumas de nossas realizações. Precisamos ser verdadeiros diante de nós mesmos e de Deus em todas as áreas da vida.

Muitas pessoas, porém, acham muito mais fácil compartimentalizar a vida e justificar suas inconsistências. Veja a seguinte história real. Um homem e sua namorada foram à lanchonete e compraram uma porção de frango para viagem, mas o caixa, por engano, deu-lhes uma embalagem que continha o dinheiro das vendas do dia. Quando chegaram ao parque e abriram a embalagem, em vez das esperadas tirinhas de frango, encontraram 800 dólares. O homem voltou imediatamente à lanchonete e devolveu o dinheiro.

O gerente ficou tão aliviado quando viu o casal devolver aquele dinheiro todo que disse:

— Vou chamar um jornal. Queremos sua foto na primeira página porque você é um dos homens mais honestos que conheci.

Mas o homem logo respondeu:

— Ah, não! Não precisa mesmo!

Então, inclinou-se na direção do gerente e sussurrou em seu ouvido:

— Não quero nossa foto no jornal porque a mulher que está comigo é casada com outro homem.

É possível realmente ser honesto numa área da vida, mas ser totalmente desonesto em outra, o que prova ausência de integridade. Você pode ser honesto em quatro ou cinco relacionamentos, mas se for desonesto em apenas um, não tem integridade. Deus deseja que sejamos jogadores completos, mantendo honestidade, justiça, decência e verdade independentemente de onde ou com quem estejamos.

Vale a pena refletir

Em quais áreas da vida você desrespeita as regras ou despreza seus valores? Relacional? Financeira? Espiritual? Qual parte da vida é mais difícil de ser integrada às outras?

O AUTÊNTICO E VERDADEIRO JEITO DE JOGAR

No filme *Lendas da vida*, o mítico carregador de tacos Bagger Vance tenta ajudar um golfista arruinado a recuperar sua melhor forma de jogar (o que no golfe se chama *swing*). Bagger chama isso de seu *swing* autêntico e verdadeiro, encontrado ao se jogar do modo mais natural possível, compensando suas fraquezas. Todos nós temos nosso autêntico e verdadeiro *swing*. O problema é que tentamos impressionar as pessoas e jogamos para nos exibir, em vez de encontrar nosso jeito único de ser.

Manter um desempenho que visa criar uma imagem e impressionar as pessoas exige grande energia e esforço, suga sua verdadeira paixão, desviando-o do propósito que Deus lhe deu, e rouba-lhe a paz pessoal. É comum as pessoas sentirem arrependimento no final da vida quando se dão conta de que não viveram de maneira coerente com seus valores e com o modo como Deus as criou. Elas descobrem tarde demais que o meio de encontrar a paixão pessoal é ser fiel ao plano de Deus. Você precisa decidir se vai impressionar ou influenciar as pessoas. As multidões são impressionadas pela imagem, mas você pode influenciar as pessoas tirando a máscara, sendo verdadeiro e admitindo as falhas e os fracassos.

Integridade é o oposto de imagem; integridade existe quando sua vida pessoal está em harmonia com sua imagem pública. Quando o que se vê é o que de fato existe. Isso é integridade. É quem você é quando ninguém está olhando, quando não há ninguém por perto para impressionar; quando está numa viagem de negócios, hospedado em um hotel que oferece programação de canais pornográficos; quando o atendente lhe dá troco a mais; quando se pode acrescentar uma despesa que não existiu na prestação de contas da viagem. A integridade exige que seu verdadeiro caráter assuma o palco central e revele quem você realmente é e em que de fato acredita. "Eu sei, meu Deus, que examinas nosso coração e te regozijas quando nele encontras integridade" (1Cr 29.17). Deus se alegra quando somos jogadores completos, dedicados a honrá-lo com nossa vida por inteiro.

OS PERIGOS DA MENTIRA

Nos dias longos e quentes de verão de minha infância, eu e meu primo gostávamos de pegar abelhas. Saíamos de casa com uma lata vazia, cheia de pequenos buracos na tampa plástica. Caminhávamos pela vizinhança, entrando no jardim dos vizinhos, ansiosos para sermos os primeiros a ver uma abelha rondando as flores.

Era sempre fácil pegar a primeira abelha; é moleza pegar uma abelha vagarosa e distraída. O difícil era capturar as outras sem deixar que as demais, já presas, escapassem. Eu me sentia poderoso ao segurar aquela lata barulhenta e vibrante, mas sempre que tentava abrir a tampa, sabia o perigo que me rondava. Finalmente, chegava o momento em que eu tentava colocar mais uma abelha na lata cheia, e o enxame irritado voava para fora no exato momento em que eu deixava a lata cair e corria o mais rápido possível.

Contar mentiras é muito semelhante a pegar abelhas. No início, é simples. Afinal, por que não facilitar as coisas para si mesmo espichando um pouco a verdade? Mas uma mentira leva inevitavelmente a outras, porque é preciso ocultar a mentira original. Então, a cada mentira que se adiciona à lata, corre-se o risco de libertar as outras, e a lata de mentiras que você é forçado a carregar torna-se cada vez mais perigosa. Em determinado momento, ao dizer mais uma mentira, todas elas escapam, a tampa se rompe, ferindo você e machucando outros que estão por perto.

Muitos casamentos acabam por falta de confiança. Os cônjuges não confiam um no outro porque mentem entre si — sobre dinheiro, relacionamentos, motivações. Seja no relacionamento com sócios, seja com seus filhos, se você demonstrar disposição para mentir, perderá a confiança da outra pessoa e poderá comprometer o relacionamento no futuro.

Como evitar a armadilha da mentira? Da mesma maneira que um golfista joga quando a bola está num banco de areia.

Os golfistas ensinam que, nesses casos, deve-se bater na bola com o taco na posição aberta. Na vida, é preciso abrir-se e falar a verdade. Não é possível esconder-se. Não dá para esconder as coisas debaixo do tapete. Não há como ocultar seus verdadeiros sentimentos. Você fala a verdade, toda a verdade e nada mais que a verdade.

Ao dizer a verdade, é preciso fazê-lo com amor, visando edificar o relacionamento e ajudar a outra pessoa, não destruí-la ou acabar com ela. É bom agir como Simon Cowell, jurado ferino do *American Idol* — alguém precisa dizer àquelas pessoas que elas não cantam bem! —, mas somente se tiver em mente o bem do outro. Deve-se dizer a verdade não para ferir, mas para aumentar seu nível de confiança e fortalecer o relacionamento.

No fundo, mentimos porque não amamos o suficiente, essa é a verdade. Mentir é o caminho mais fácil, uma conveniência egoísta. É pegar a estrada mais tranquila, o caminho de menor resistência para chegar ao próprio conforto. Se você se arriscar a amar, então dirá a verdade. Quanto mais amar, menos mentirá. Quanto maior for seu amor, maior será sua coragem de dizer a verdade.

Isso também significa ter coragem de admitir a verdade sobre nós mesmos, reconhecer quando falhamos e precisamos pedir perdão. Em relação a nossos próprios erros, em especial, a verdade pode parecer insuportável — poderosa, dolorosa e onerosa, e pensamos: "Se eu pudesse escolher de novo..." ou "E se eu..." ou "Por que foi que eu...". Mas o remorso não nos levará a ser pessoas íntegras a não ser que o transformemos em arrependimento. Precisamos abrir-nos para a verdade em todas as áreas e agir sempre com honestidade.

Vale a pena refletir

Quando é difícil manter a palavra? Para quem? Seu cônjuge? Seus filhos? Os colegas de trabalho? Os pais? Os amigos? Outras pessoas? Em quais relacionamentos ou situações é maior a possibilidade de mentir? Se tivesse apenas um mês para viver, a quem precisaria dizer a verdade hoje?

FAZENDO A CONTAGEM

Devemos lembrar que Deus é o supremo contador de pontos. No final do jogo da vida ele estará com seus cartões de anotação e seu padrão de comparação. O nosso nunca se equipara ao dele; não somos santos, perfeitos, justos nem inculpáveis. Ele é. Apenas uma pessoa que caminhou sobre essa terra acertou todos os buracos do jogo — e todos numa única tacada: Jesus. Só ele viveu uma vida completamente íntegra. Ele nunca pecou, nunca fez nada errado. Sempre fez as coisas que deveria fazer. Nunca teve um mau pensamento nem uma atitude ruim; ele foi perfeito.

Talvez você esteja marcando muitos pontos na vida, fazendo grandes coisas para outras pessoas, doando seu tempo, energia e dinheiro para aqueles que passam por necessidades, mas ainda assim não se equipara a Deus. A verdade é que nunca alcançaremos a pontuação máxima, porque temos falhas. A Bíblia diz que todos nós cometemos erros; e nós já provocamos algum tipo de estrago na vida.

Deus mantém a contagem, e ela é precisa. Jamais chegaremos ao placar perfeito. Mas aí vem a boa notícia: Jesus nos concede o verdadeiro *mulligan*. No golfe, *mulligan* é o nome que se dá a uma segunda chance de acertar. Quando o jogo começa e você erra, pode dizer: "Vou usar meu *mulligan* aqui mesmo". Jesus nos concede o derradeiro *mulligan* porque não só nos concede a oportunidade de fazer de novo, como também recomeça do jeito certo e faz a jogada por nós. Quando morreu naquela cruz, há mais de dois mil anos, ele pegou meu cartão de pontuação — com todas as jogadas erradas que realizei — e pregou-o na cruz. Ele assumiu meu lugar. Ele faz isso por todos nós se estivermos dispostos a aceitar a dádiva do relacionamento com ele; substitui nossos cartões de pontuação pelo cartão dele.

Assim, com o perfeito cartão de pontos de Jesus na mão, vemos Deus nos dar as boas-vindas e celebrar nossa chegada ao lugar que supera qualquer círculo de vencedores.

> Mas há uma grande diferença entre o pecado de Adão e a dádiva de Deus. Pois o pecado de um único homem trouxe morte para muitos. Ainda maior, porém, é a graça de Deus e sua dádiva que veio sobre muitos por meio de um único homem, Jesus Cristo.
>
> Romanos 5.15

Por causa da cruz, recebemos o dom da vida. Não o merecemos e jamais poderíamos merecê-lo. Mas ele nos ama, nos ama como somos, sem levar em conta o que fizemos. Ele pode restaurar-nos, é capaz de curar nossa vida. Não importa em quantos pedaços fomos fragmentados ou quão pouco tempo nos resta para viver. Ele é a fonte da vida plena que ansiamos, aquela para a qual fomos criados.

PARA A VIDA TODA

1. Desenhe um grande círculo no meio de uma folha de papel. Divida o círculo em oito pedaços, como uma pizza. Nomeie cada seção com uma área da vida (por exemplo, família,

trabalho, lazer, casamento, finanças, igreja etc.). Você está vivendo de acordo com seus valores em todas essas áreas?

2. Agora desenhe um círculo menor no meio da pizza e escreva a palavra Deus. Esse é o lugar de Deus numa vida de integridade. Ele não deseja um pedaço de sua vida; ele quer ser a primeira parte de cada pedaço, seja o trabalho, seja o casamento. Deus quer ser o primeiro a ser considerado em tudo o que você faz.
3. Que nota você daria para sua integridade? Você é a mesma pessoa em casa e no escritório, com sua família e seus amigos? Peça que Deus lhe mostre as áreas em que você precisa mudar e peça-lhe força de caráter para fazê-lo.

Dia 22

Placas de sinalização

Vivenciando um milagre pessoal

Os milagres são uma narração em letras miúdas da mesma história que está escrita por todo o mundo em letras grandes demais para que alguns de nós leiam.

C. S. Lewis

Tente grandes coisas para Deus e espere grandes coisas dele.

William Carey

Centenas de pessoas já me perguntaram como é possível exercitar a fé durante os períodos difíceis e áridos da vida, em que nada parece dar certo. Muitas dizem que seria preciso um milagre para que a vida delas fosse transformada: o casamento sobrevivesse, os negócios fossem bem-sucedidos, os filhos voltassem. Ao conversar com essas pessoas, sempre tento deixar duas coisas bem claras. A primeira: Deus é especialista em milagres; a segunda: não existem fórmulas nem palavras mágicas. Ele não é um gênio pronto a nos conceder três desejos. Se tivesse apenas um mês para viver, talvez você se sentisse tentado a implorar a Deus um milagre para estender seus dias. Porém, embora nossa vida esteja claramente nas mãos dele, e ele com certeza possa nos curar fisicamente, o milagre de que você na verdade precisa está em suas prioridades e seus relacionamentos.

Talvez você esteja em busca de um milagre financeiro, físico ou relacional na vida. Os milagres não são apenas possíveis, são mais comuns do que pensamos. Deus se importa conosco e quer trabalhar em nós. O difícil é lembrar disso quando estamos num cruzamento e precisamos definir qual caminho seguir. O grande jogador de beisebol Yogi Berra disse certa vez: "Quando chegar a um cruzamento na estrada, siga em frente". Isso não ajuda muito. Se você estiver enfrentando uma perda dolorosa ou precisar escolher entre duas boas opções, a única maneira de ver um milagre é caminhar na direção de Deus. Certamente não existe uma fórmula, mas encontro na Bíblia quatro placas de sinalização que podem ajudar-nos a transformar os cruzamentos numa jornada gratificante e milagrosa.

RUAS DE MÃO ÚNICA

Uma das melhores ilustrações desses quatro princípios orientadores está presente na história de Eliseu e a viúva, no Antigo Testamento. Temos ali o processo que Deus sempre usa quando deseja realizar um milagre em nossa vida. Tudo começa com uma situação calamitosa e um pedido de ajuda:

> Certo dia, a viúva de um dos membros do grupo de profetas foi pedir ajuda a Eliseu: "Meu marido, que o servia, morreu, e o senhor sabe como ele temia o Senhor. Agora, veio um credor que ameaça levar meus dois filhos como escravos".
>
> 2Reis 4.1

Pouco depois de uma perda terrível, aquela pobre mulher enfrentou uma situação angustiante. Ela havia perdido o marido e, por causa disso, agora enfrenta problemas financeiros. Os credores a pressionam e ameaçam levar sua posse mais preciosa — seus filhos — se ela não pagasse. Ela se vê num dilema, mas revela a primeira placa de sinalização em sua resposta à situação.

Se você quer que Deus realize um milagre em sua vida, precisa saber que existem ruas de mão única a percorrer para dar início ao milagre. A primeira delas é admitir sua necessidade. Se você quer que Deus trabalhe em sua vida, tem de reconhecer que precisa dele. É claro que não gostamos de admitir isso quando temos um problema, quanto mais reconhecer que não somos capazes de resolver a situação sozinhos. Preferimos esconder nossos problemas, fingir que não existem ou tentar lidar com eles por nossa própria conta. Muitas vezes reclamamos, mas isso não significa ser vulnerável à nossa inadequação para resolver as coisas. Mais ainda. Deus não pode trabalhar em nossa vida até que reconheçamos que a intervenção dele é essencial e o convidemos a interferir na situação.

A viúva admite que precisa de ajuda. Ela caminha naquela rua de mão única, reconhecendo que nenhum outro caminho poderá levá-la à solução desejada. Contudo, a resposta de Eliseu nos leva a entender que ela chegou a um beco sem saída: "O que posso fazer para ajudá-la?', perguntou Eliseu" (2Rs 4.2). Essa reação parece bastante rude à primeira vista, como se Eliseu estivesse irritado com a perturbação causada pela viúva. Mas talvez haja um sentido nisso. Creio que Eliseu estava simplesmente se recusando a deixar que a mulher colocasse a confiança nele. Ele estava dizendo: "Olha, eu não posso ajudá-la, mas conheço aquele que pode. Sei que Deus pode fazer um milagre".

O único jeito de transformar um momento decisivo num milagre é trilhar essas duas ruas de mão única. A primeira rua — admitir sua necessidade — leva à segunda — buscar a Deus como o único que pode nos conduzir na direção correta. Aonde você vai quando tem problemas? Você liga para o Serviço de Atendimento Psicológico ou consulta o horóscopo? As pessoas tentam todo tipo de coisa quando passam por necessidades. Quanto mais desesperadas ficam, mais loucas se tornam na busca de recursos externos que possam ajudá-las. Existe apenas um recurso que pode prover o milagre de que precisamos. Podemos ir diretamente a Deus, o único com o poder, a sabedoria e o amor que querem nosso bem.

Vale a pena refletir

Para você, é difícil admitir uma necessidade? Quais são as três maiores necessidades de sua vida neste exato momento? Quem está ciente delas? O que o impede de contar essas necessidades a mais pessoas? O que o impede de buscar a Deus?

PARE, OLHE, ESCUTE

Agora estamos preparados para a próxima placa de sinalização em nossa jornada: um sinal de "pare". Depois da resposta inicial, Eliseu fez outra pergunta estranha: "Diga-me, o que você tem em casa?" (2Rs 4.2). Deus sempre faz essa pergunta antes de realizar um milagre em nossa vida. Como a viúva necessitada, é comum nos concentrarmos naquilo que não temos e desprezarmos o potencial do que Deus já nos concedeu.

Deus já tinha dado àquela mulher o início de seu milagre; ela precisava reconhecer isso. Precisamos parar e avaliar o que temos. Deus sempre começa a trabalhar a partir de onde estamos e do que temos; ele não faz uma limpeza geral em nós, nem transforma todo o mal em algo maravilhoso num único instante. Deus pergunta: "Bem, o que tenho aqui para trabalhar? Pare de se preocupar e comece a procurar!". Você precisa pegar o que tem e entregar a Deus. Seu tempo, talento, recursos e energia, não importa quanto pareçam limitados, são o ponto de partida dele. Quando você se dispõe e os entrega, a intervenção e as bênçãos de Deus começam a acontecer.

RETORNO PERMITIDO

Se você deseja ver Deus transformar sua situação no destino que ele tem para sua vida, precisa seguir a terceira placa de sinalização e fazer um retorno, passando da perspectiva negativa para a positiva. Nossa primeira reação quando surgem os problemas tende a ser negativa. Sempre exagerando, declaramos que tudo está ruim, não há nada de bom e não existe esperança.

Essa era a perspectiva inicial da viúva. Veja como ela responde à pergunta de Eliseu: "Não tenho nada, exceto uma vasilha de azeite" (2Rs 4.2). Ela parte do negativo, mas rapidamente faz um retorno para o positivo. Teria sido natural que a mulher dissesse: "Não tenho nada. Ponto final. Fim da história. Não tenho coisa alguma". Contudo, em vez disso, ela vai para o positivo, adicionando a frase "exceto uma vasilha de azeite".

Essa mudança de direção exige fé. Ela reconhece que existe um pequeno recurso, alguns gramas de possibilidade. Ao fazê-lo, ela exerce sua fé, o que desperta a esperança. Ela não está num processo de negação, tampouco está disposta a desistir. Ter fé não é ignorar a realidade presente, mas é reconhecer que, com Deus, todas as coisas são possíveis. Fingir que o problema não existe não é fé — é estupidez ou negação. A fé não nega o problema; ela ajuda a vê-lo de uma nova perspectiva, através dos olhos de Deus.

Se você não olhar com os olhos da fé, aquelas pequenas bênçãos serão desprezadas e você dirá como a mulher no primeiro momento: "Não há nada em minha casa. Tenho enormes necessidades e meus problemas são sérios. Não vejo nada de bom em minha situação". Para mudar para o positivo e descobrir a perspectiva de Deus, você deve usar os olhos da fé. Quando o fizer, sua mudança de atitude abrirá espaço para que Deus realize um milagre em sua vida.

Deus gosta de pegar o pouco que temos e multiplicá-lo porque assim ele recebe o crédito. Ele se deleita em pegar o comum e transformá-lo em incomum porque, ao fazê-lo, revela um pouco mais quem ele é. Em geral, sufocamos a habilidade de Deus de realizar um milagre, mesmo quando estamos orando por ele. Ficamos muito concentrados em palavras negativas, culpando os outros e nos preocupando. Nada disso, porém, leva à fé ou a uma mudança de perspectiva. Não conseguiremos reconhecer o que Deus faz em nossa vida se permanecermos mergulhados no pessimismo. Precisamos fazer o retorno e nos concentrar em Deus, não no problema.

Vale a pena refletir

Qual a diferença entre fazer um retorno, como fez a viúva, e ser otimista? Como buscar a perspectiva de Deus é mais do que simplesmente procurar o lado bom das coisas?

DÊ A PREFERÊNCIA

A quarta placa de sinalização na estrada rumo ao milagre é a mais importante: o sinal de preferência. Se você seguir os outros três sinais, mas não esse, não será possível esperar um milagre. É fundamental que comecemos a servir aos outros com as bênçãos que Deus já nos concedeu.

Na história da viúva, Eliseu pediu que ela fizesse algo muito incomum: "Então Eliseu disse: 'Tome emprestadas muitas vasilhas de seus amigos e vizinhos, quantas conseguir. [...] Derrame nas vasilhas o azeite que você tem e separe-as quando estiverem cheias'" (2Rs 4.3-4). Veja só que coisa estranha o profeta pede: "Saia por aí pedindo emprestadas todas as vasilhas que puder encontrar". Estranho, mas aparentemente é isso que Deus queria que ela fizesse. E, de fato, é isso o que Deus pede que façamos quando queremos um milagre em nossa vida. Ele nos pergunta: "O que existe em sua casa? Com o que posso trabalhar?". Então, ele logo passa para a fase "peça vasilhas emprestadas para que sejam cheias".

Isso é simplesmente o oposto a minha reação natural à necessidade. Quando tenho um problema, minha atitude é: "Não posso me concentrar nas carências de outras pessoas neste momento; tenho as minhas. Não tenho tempo para mais ninguém; estou sobrecarregado e preciso cuidar de mim em primeiro lugar". Minha primeira inclinação é juntar o pouco de tempo, recursos e energia que tenho. Em geral, não temos consciência das vasilhas vazias que nos cercam porque estamos cegos por nossos próprios problemas e preocupações. Se você optar por enxergar, vasilhas vazias aparecem em todo lugar: no trabalho, na família, na vizinhança, na igreja.

Os filhos são vasilhas naturalmente vazias, à espera de serem cheias com seu tempo, energia, amor e atenção. Deus nos pede para dar o que temos, ainda que seja pouco. Ele pede que olhemos os outros antes de nós mesmos e que confiemos nele para tomar conta de nossa necessidade e sermos usados por ele para satisfazer as necessidades dos outros.

É um paradoxo que talvez nunca venhamos a compreender plenamente. Quando tiramos o foco de nós mesmos e o colocamos em Deus, quando derramamos nossa vida sobre outras pessoas, seguindo a orientação dele, ele começa a derramar seus milagres sobre nós. Por mais contrário à intuição que possa parecer, o melhor conselho que lhe posso dar é procurar vasilhas vazias sobre as quais você possa derramar-se quando estiver passando por um problema. Existe uma certa lógica nisso. Por que Deus nos abençoaria se não estivéssemos dispostos a abençoar outras pessoas? Somos abençoados para sermos bênçãos. Quando você toma a decisão de ajudar outra pessoa, Deus decide ajudar você. Quando você livra alguém de problemas, encontra um lugar para enterrar seus próprios problemas. Deus espera para ver se você tem fé para dar um passo e começar a satisfazer as necessidades de outra pessoa e, então, confiar que ele satisfaça as suas. É tão pouco natural que se torna sobrenatural.

Se você deseja ver milagres, encontre vasilhas vazias para derramar sua vida sobre elas. Eliseu disse àquela mulher que ela precisava tomar certas atitudes para alcançar um milagre. Ela precisava sair e conseguir todas as vasilhas que pudesse encontrar e trazê-las para casa. Contudo, veja o que aconteceu quando ela fez isso: "Logo, todas estavam cheias até a borda. 'Traga mais uma vasilha', disse ela a um dos filhos. 'Acabaram as vasilhas!', respondeu ele. E o azeite parou de correr" (2Rs 4.6). A obediência traz as bênçãos. O milagre que Deus realiza talvez não se pareça com aquele que pedimos, mas, ao final, entendemos como ele nos concedeu bem mais do que poderíamos ter imaginado.

De algum modo, Deus satisfaz nossas expectativas. Ele trabalha na proporção que esperamos que trabalhe. Assim, o que você espera que Deus faça em sua vida hoje? Deus diz: "Se você me der o pouco que tem, posso fazer grandes coisas por intermédio de você". Em Marcos 10.27 recebemos a garantia de que todas as coisas são possíveis para Deus. Isso inclui tudo o que você está enfrentando neste exato momento, mas você tem de admitir que precisa de ajuda. Precisa ir até Deus, fazer um retorno de suas expectativas negativas e começar a olhar para ele, concentrando-se nele e não em suas limitações. Dê-lhe a preferência e derrame sua vida em vasilhas vazias, confiando que Deus proverá aquilo de que você precisa. Esse é o mapa da jornada da vida para a qual você foi criado, uma vida repleta de milagres.

PARA A VIDA TODA

1. Descreva um momento de sua vida em que você experimentou ou testemunhou um dos milagres de Deus. Como vê essas quatro placas de sinalização no caminho pelo qual Deus tratou a situação? Como lembrete, os quatro sinais são ruas de mão única (reconhecer sua necessidade e que Deus é o único provedor), o sinal de parada (fazer uma pausa para considerar quais recursos já possui), um retorno (passando do negativo para o positivo pela fé) e o sinal de preferência (obedecer a Deus e preencher aqueles que estão ao nosso redor).
2. Pense em uma de suas maiores necessidades neste exato momento. De que recursos você dispõe e com os quais Deus pode começar a trabalhar? Faça um inventário de sua vida e não despreze o pouco de azeite que você tem e talvez não esteja diretamente relacionado à sua necessidade.
3. Faça uma lista das "vasilhas vazias" em sua vida neste exato momento — pessoas ao seu redor que precisam de sua palavra, de seus recursos, de seu amor ou de sua atenção. Quais necessidades parecem mais urgentes? Ore pedindo orientação a Deus e procure uma maneira de se derramar na vida dessa pessoa nesta semana.

PRINCÍPIO 4

Partir corajosamente

Dia 23

Castelos de areia

Criando um legado duradouro

A melhor forma de viver a vida é investir em algo que ultrapasse sua própria duração.

William James

Precisamos dizer aos jovens que os melhores livros ainda serão escritos; as melhores pinturas ainda serão pintadas; os melhores governos ainda serão formados; o melhor ainda está por ser realizado por eles.

John Erskine

Eu gostava muito de ver meus filhos fazendo castelos de areia quando íamos à praia. Agora que estão maiores, isso não acontece com tanta frequência, mas eles costumavam ficar sentados por horas, cavando e alisando, escavando e ajeitando, na tentativa de tornar as torres retas e montar um fosso bem feito para que, então, pudessem enchê-lo com água do mar. Quando eram bem pequenos, lembro-me de como ficavam assustados quando uma onda chegava perto. A maré ficava cada vez mais alta, até que a espuma começava a se aproximar da borda do castelo e, por fim, o derrubava. Foram necessárias várias tentativas para que meus filhos percebessem que seus castelos de areia não eram permanentes — eles simplesmente não durariam.

Infelizmente, tenho visto muitas pessoas no final da vida com o mesmo sentimento. Elas trabalham sem parar, sempre ocupadas, com uma agenda superlotada e insana. O corpo acaba forçando-as a diminuir o ritmo e a observar aquilo por que lutam tanto para construir. A dura realidade que muitas vezes enfrentam é o fato de que muito do que se esforçaram para construir não vai durar. Depois da morte dessas pessoas, todas aquelas coisas serão varridas como um castelo de areia na maré alta.

Ao iniciarmos a última seção e nos concentrarmos no princípio de partir corajosamente, é muito importante entendermos, antes que seja tarde, qual o investimento necessário para deixarmos um legado duradouro. Se você tivesse apenas um mês para viver, poderia fazer algumas mudanças para melhorar o que deixa atrás de si. O melhor mesmo, porém, seria saber que você contribuiu para seu legado todos os dias por muitos meses e anos, e que tudo pelo que trabalhou será eterno. A única maneira de criar essa herança duradoura é empregar seus recursos mais valiosos nas áreas que oferecem maior retorno: as pessoas. Nossos relacionamentos são o único investimento que não pode ser destruído por um incêndio ou um desastre natural, nem ser perdido na bolsa de valores.

Quantos de nós estamos usando nossos recursos para construir um alicerce permanente sob nosso castelo de areia? Se realmente quisermos deixar um legado duradouro, precisaremos olhar além de nosso lar, nossa carteira de investimentos e nossas joias de família. Se quisermos deixar um legado que as ondas do tempo não possam apagar, teremos de inspecionar o local onde está sendo construída nossa vida. Precisamos avaliar com honestidade o castelo que estamos construindo para certificar-nos de que ele não é feito de areia movediça.

O primeiro aspecto dessa inspeção deve ser o teste da influência. Para deixar um legado nesta terra, é necessário que você passe por esse teste. Você pode ter mais ou menos oportunidades que eu, mas todos nós recebemos certo número de oportunidades para influenciar os outros e fazer diferença na vida deles. Deus nos concedeu a habilidade de influenciar pessoas e espera um retorno de seu investimento. Ele quer que aproveitemos as oportunidades, em vez de fugirmos à responsabilidade de fazer diferença na vida dos outros.

Às vezes, as pessoas ficam mais preocupadas em promover o próprio nome do que em causar impacto na vida dos outros. Elas pensam: "Se todo mundo souber quem sou, sentirei que sou importante e ficarei satisfeito". Abraham Lincoln observou com sabedoria: "Não se preocupe quando não for reconhecido; esforce-se para ser digno de reconhecimento". A tentativa de se tornar famoso é semelhante a escrever o próprio nome na areia. As ondas do tempo vão apagá-lo um dia. O nome de todas as estrelas do rock, do cinema, do atletismo, da política, de presidentes, reis e rainhas um dia serão esquecidos. Todos os que são famosos hoje serão apagados, porque as ondas do tempo continuam rolando. Elas vão apagar o nome de todos, exceto de um — o nome que está esculpido numa pedra, a pedra que foi removida da entrada de um sepulcro. Lemos em Filipenses 2.10: "Para que, ao nome de Jesus, todo joelho se dobre, nos céus, na terra e debaixo da terra".

Minha vida e meu tempo não são de fato meus. Eles pertencem a Cristo, e é o nome dele que vai durar; somente deixarei um legado duradouro quando viver de modo a influenciar outros para Cristo. Você e eu seremos esquecidos um dia. A única coisa que vai permanecer é o que fizermos para Deus, a maneira como cumprimos o propósito para o qual ele nos criou.

Vale a pena refletir

Pelo que você gostaria de ser lembrado? De que maneira está contribuindo para esse objetivo neste exato momento? Quanto tempo durará esse legado?

DINHEIRO DE AREIA

Para deixar um legado duradouro devemos passar pelo teste de influência e ser aprovados no teste de afluência. Se você deseja causar um impacto duradouro, analise como gasta seus recursos materiais. Você pode ser tentado a dizer: "Espere um pouco. Mal consigo me sustentar. Não sou rico! Isso só deve se aplicar a pessoas de posses". Entendo sua situação, mas com muito poucas exceções, se você está lendo este livro, é considerado rico pelo resto do mundo.

Passar pelo teste de afluência não depende tanto da quantidade de dinheiro que você tem, mas sim do que faz com ele. Jesus contou a história de um homem que não passou nesse teste. Tratava-se de um homem rico, cujos depósitos estavam cheios com a colheita, de modo que não sabia o que fazer:

> Por fim, disse: "Já sei! Vou derrubar os celeiros e construir outros maiores. Assim terei espaço suficiente para todo o meu trigo e meus outros bens. Então direi a mim mesmo: Amigo, você guardou o suficiente para muitos anos. Agora descanse! Coma, beba e alegre-se!".
>
> Mas Deus lhe disse: "Louco! Você morrerá esta noite. E, então, quem ficará com o fruto do seu trabalho?".
>
> Sim, é loucura acumular riquezas terrenas e não ser rico para com Deus.
>
> Lucas 12.18-21

Deus disse àquele homem: "Não, você não vai expandir seus celeiros. Está acabado. Você está fora. Essa vida que você está construindo não passou no teste de afluência. Eu o abençoei, e você usou todas as bênçãos para si mesmo. Você fracassou na avaliação mais importante de sua vida". Todos nós temos de passar pelo teste de afluência porque um dia Deus vai nos pedir contas do que nos foi concedido.

Não há nada de errado em ter riquezas, desde que tenhamos em mente tratar-se apenas de castelos de areia. Quando constroem castelos na praia, as crianças não ficam desoladas se a onda vem e destrói o trabalho. Elas não se afligem; simplesmente gostam de construir castelos de areia. Devemos desfrutar os bens materiais que Deus nos dá, mas nunca nos apegar demais a eles ou ficar arrasados quando a onda do tempo os leva embora.

A única maneira de passar no teste de afluência é contribuir. Para fazer diferença, devemos aprender a ser doadores em vez de tomadores. Se retivermos o que possuímos e ganharmos o suficiente para o próprio sustento, fracassaremos no teste de afluência. Deus quer que sejamos canais de bênçãos, e se ele achar que pode confiar em nós, que somos obedientes nessa área, continuará a nos abençoar. Em contrapartida, por que Deus nos abençoaria mais se vamos acumular o que ele nos dá? Se nos apegamos demais ao que ele nos confia, nós nos assemelhamos ao homem que queria construir celeiros maiores. Usar com gratidão o que Deus nos dá para abençoar os que nos cercam é o único meio de construir celeiros eternos.

Vale a pena refletir

Pense nos bens que você deixará algum dia. Quem vai herdá-los? Lembre-se de que, na realidade, nada nos pertence. Somos apenas administradores do que Deus nos concedeu.

ILHA DO TESOURO

Também existe o teste da obediência. Paulo escreveu em Efésios 5.15-17:

> Portanto, sejam cuidadosos em seu modo de vida. Não vivam como insensatos, mas como sábios. Aproveitem ao máximo todas as oportunidades nestes dias maus. Não ajam de forma impensada, mas procurem entender a vontade do Senhor.

Talvez esse seja o maior segredo para deixar um legado importante: tente entender o que o Senhor quer que você faça — e faça! Obedeça a Deus, porque ele lhe concede tempo suficiente para fazer tudo o que você precisa fazer, em um dia ou na vida. Note que ele não lhe dá tempo suficiente para fazer tudo o que os outros pensam que você precisa fazer. Para descobrir o que Deus quer que você faça, dedique tempo a ele, ouça-o e, então, obedeça-lhe.

Há milhares de coisas que podemos fazer nesta vida, mas apenas algumas Deus deseja que realizemos. Quando vivo de acordo com o plano divino para mim, tudo se encaixa. É como se ele multiplicasse meu tempo e me tornasse mais produtivo. A obediência sempre leva à bênção de Deus. Quando você usar sua influência e sua afluência para obedecer, Deus o capacitará a deixar uma herança permanente.

PARA A VIDA TODA

1. Anote os três testes descritos aqui — influência, afluência e obediência — e atribua a si mesmo uma nota para cada um deles. Em qual área você tem mais dificuldades? Em qual delas acha que está se saindo melhor? Como sua vida deveria ser para que alcançasse nota máxima em cada uma dessas áreas?

2. Reveja sua agenda do mês passado. Quanto de seu tempo foi gasto em objetivos temporários? Quanto tempo em legados eternos? Observe seus últimos gastos e os comprovantes de compra no cartão de crédito. Quanto de seu dinheiro foi investido em coisas temporárias? Quanto você investiu em coisas eternas? Pense em pelo menos uma maneira de investir em um legado duradouro na próxima semana.
3. Escreva seu obituário. Inicie pela descrição de sua vida até agora e continue até o futuro. Pelo que você quer ser conhecido quando partir? Que legado deixará em seus relacionamentos?

Dia 24

Sementes

Plantando para o futuro

A criação de milhares de florestas depende de uma semente.
Ralph Waldo Emerson

Fé é acreditar naquilo que você não vê; a recompensa dessa fé é ver aquilo em que você acredita.
Agostinho

Na infância, meu esconderijo ficava no alto de uma árvore plantada no jardim em frente a nossa casa. Eu gostava de me pendurar nos galhos fortes e olhar para longe, camuflado, escondido do restante do mundo. Ainda hoje, um de meus lugares preferidos para pensar é debaixo da sombra de uma grande e bela árvore de ramos frondosos.

Alguns dos maiores carvalhos da região onde moro foram plantados por colonizadores há mais de cem anos. Parece que eles queriam criar uma área arborizada onde seus descendentes pudessem morar ou cortar madeira para produzir sólidas casas à prova de tempestades. Considerando que a maioria deles nunca viu essas árvores alcançar a maturidade, a preocupação dos colonizadores com aqueles que os sucederiam é impressionante.

Quando penso no significado de tomar decisões como se tivéssemos um mês de vida, a pergunta permanece: é possível viver de modo que nosso impacto seja sentido para sempre? Não só creio que seja possível, como acredito que é o tipo de vida para o qual fomos criados. O salmista revela como viver uma vida que se estenda além de nós: "Que cada geração conte a seus filhos sobre tuas obras e proclame teu poder" (Sl 145.4). Com isso em mente, analisemos o "que", "onde" e "por que" plantar poderosos carvalhos para a eternidade.

Vale a pena refletir

O que representa um legado duradouro para você? A casa da família? O anel de sua avó? A reputação de sua família? Sua montanha favorita? O mar? Outra coisa?

JARDINAGEM ESPIRITUAL

Pode parecer óbvia a necessidade de avaliar o que você está plantando, mas a importância disso muitas vezes é desprezada. Embora todos nós tenhamos recebido dons e oportunidades incríveis, o tipo de semente que plantamos — e onde as colocamos — faz enorme diferença no produto a ser colhido. Em suma, tudo depende do poder da semente.

Jesus conta a parábola do semeador:

> Um lavrador saiu para semear. Enquanto espalhava as sementes pelo campo, algumas caíram à beira do caminho, e as aves vieram e as comeram. Outras sementes caíram em solo rochoso e, não havendo muita terra, germinaram rapidamente, mas as plantas logo murcharam sob o calor do sol e secaram, pois não tinham raízes profundas. Outras sementes caíram entre espinhos, que cresceram e sufocaram os brotos. Ainda outras caíram em solo fértil e produziram uma colheita trinta, sessenta e até cem vezes maior que a quantidade semeada.
>
> Mateus 13.3-8

Em seu nível mais básico, essa é uma parábola sobre a fé, pois o semeador tinha fé na semente, em seu potencial de produzir. Em essência, ele planta uma semente de fé. Se desejamos ter uma vida que perdure além de nós, devemos sempre plantar sementes de fé. Embora a parábola se concentre em Deus, que está sempre semeando fé em nossa vida, somos convidados a considerar o que ele está plantando, sobretudo se desejamos ter uma vida que produza para as gerações futuras.

A cada dia, a cada momento, em todos os atos, plantamos alguma coisa. Resta a pergunta: O que exatamente você está plantando? Qual o efeito cumulativo de suas palavras, ações e intenções sobre aqueles que o cercam e os que virão? Que colheita eles farão do que você planta todo dia? Olhando de fora, talvez seja difícil discernir entre uma semente e um pedrisco. Mas é claro que, olhando de dentro, os dois são completamente diferentes. Há vida na semente; não há nada a não ser pedra dentro do pedrisco. A semente tem potencial dentro de si: ela produz vida. Infelizmente, alguns de nós gastam tempo plantando pedras — sem potencial, sem vida, sem fruto.

Quando as pessoas olham para sua vida do lado de fora, podem impressionar-se com as "grandes coisas" que você planta: uma conta corrente robusta, grandes realizações, objetivos imponentes, uma reputação importante. Pela aparência, você é um semeador bem-sucedido, mas que fruto essas "grandes coisas" gerarão? Não importa quão significativo seja seu portfólio ou quão ambiciosos sejam seus planos. Se acumular coisas e tentar impressionar as pessoas é tudo o que você faz, sua influência terminará no momento em que morrer. O tamanho da pedra não importa. Seja um cisco, seja uma montanha, se você enterrá-la, nunca será vista de novo. O impacto é zero. O teste fundamental para determinar se você está plantando sementes verdadeiras ou apenas pedras surge com sua motivação. Estou plantando uma semente para satisfazer minhas próprias necessidades ou as dos outros? Em João 12.24, Jesus explica: "Eu lhes digo a verdade: se o grão de trigo não for plantado na terra e não morrer, ficará só. Sua morte, porém, produzirá muitos novos grãos". A semente precisa ser lançada ao solo e, no silêncio, morrer. Sozinha ali, ela se abre para produzir vida. Do mesmo modo, precisamos morrer para nós mesmos — para nossos desejos, objetivos e sonhos egoístas — e assim plantar a semente altruísta. As pessoas foram criadas à imagem de Deus como seres espirituais que viverão pela eternidade, com ele ou longe dele. Se investirmos nas pessoas, nosso legado se transformará num enorme carvalho, produzindo vida às gerações futuras.

Vale a pena refletir

O que você fez na semana passada que durará pelo resto deste ano? Por dez anos? Para a eternidade? Quanto tempo você passou nesta semana lendo a Palavra de Deus em comparação com o tempo gasto na leitura do jornal ou diante da televisão?

AMOSTRAS DE SOLO

A maioria dos fazendeiros diz que onde se planta é quase tão importante quanto o que se planta. Uma semente tem potencial, mas se for plantada em solo ruim, não vingará. Os solos da parábola de Jesus representam diferentes tipos de vida. O primeiro ilustra a vida insensível. Jesus a descreve: "As sementes que caíram à beira do caminho representam os que ouvem a mensagem sobre o reino e não a entendem. Então o maligno vem e arranca a semente que foi lançada em seu coração" (Mt 13.19). Esse é o retrato dos que não têm interesse algum nas coisas espirituais. Vivem simplesmente para si mesmos, plantando sementes de egoísmo. Seu impacto será semelhante ao de uma pegada na praia — pode ser vista hoje, mas desaparecerá amanhã.

O próximo tipo de solo representa a vida confortável. Ilustra pessoas que se comprometem a seguir Jesus, mas não se aprofundam no relacionamento com ele. Quando surgem os problemas e as dificuldades, elas desistem. "As que caíram no solo rochoso representam aqueles que ouvem a mensagem e, sem demora, a recebem com alegria. Contudo, uma vez que não têm raízes profundas, não duram muito. Assim que enfrentam problemas ou são perseguidos por causa da mensagem, cedo desanimam" (13.20-21). Essas pessoas acham que, se abraçarem a fé cristã, sua vida será um mar de rosas. Mas a vida cristã não tem nada a ver com conforto; tem a ver com caráter. Deus desenvolve nosso caráter quando nos dispomos a plantar sementes de fé, o que nos conduz ao limite e nos faz sentir desconfortáveis. De fato, "sem fé é impossível agradar a Deus" (Hb 11.6). Deus nunca prometeu uma vida fácil e livre de preocupações. Ele *de fato* nos promete uma vida abundante, alegre e livre de temores se buscarmos dia a dia nele a satisfação de nossas necessidades. Quando confiamos nele, a vida se torna uma ousada aventura na qual damos um passo de fé e somos vivificados. Ele é o grande Deus querendo fazer coisas maravilhosas em nossa vida.

Outra semente da parábola, contudo, caiu num tipo de solo que representa a vida sobrecarregada, o que provavelmente descreve a maioria de nós. Essa semente começa a crescer, mas os espinhos e as ervas daninhas crescem junto, e a jovem planta é sufocada. "As que caíram entre os espinhos representam outros que ouvem a mensagem, mas logo ela é sufocada pelas preocupações desta vida e pela sedução da riqueza, de modo que não produzem fruto" (Mt 13.22). Esse é o retrato das pessoas que começam a seguir a Deus, mas cercam-se de coisas que não são duradouras e não podem produzir vida. Seus dias são tomados de diversos itens — muitos até bons — que competem com o que sabem ser verdadeiro. Logo o excesso de ocupação sufoca o relacionamento com Deus. Como em qualquer relacionamento, quanto mais tempo você passa com Deus, melhor o conhece.

O último tipo de solo é o terreno rico e fértil da vida plena: "E as que caíram em solo fértil representam os que ouvem e entendem a mensagem e produzem uma colheita trinta, sessenta e até cem vezes maior que a quantidade semeada" (Mt 13.23). Esse é o retrato das pessoas que recebem a verdade de Deus, plantam-na profundamente na vida e causam um impacto sentido por várias gerações. É isso o que Deus quer fazer em sua vida, mas você não deve perder de vista sua motivação fundamental: Por que está plantando? Qual é seu propósito ou objetivo na vida? "Não se deixem enganar: ninguém pode zombar de Deus. A pessoa sempre colherá aquilo que semear" (Gl 6.7).

Se você plantar coisas temporárias, colherá coisas temporárias. Se plantar sementes eternas, colherá frutos eternos. Se plantar generosidade, colherá generosidade. Se doar graça e compaixão, receberá graça e compaixão. Você receberá de volta tudo aquilo que doar. De acordo com a lei da colheita, colhemos *o que* plantamos, mas também colhemos *mais* que plantamos. Se eu plantar uma semente, não recebo apenas uma semente ou uma maçã como retribuição, mas uma árvore cheia de maçãs, por várias temporadas. Um barril de bênçãos vem de uma pequena semente de fé.

Se quer ter certeza de que sua vida tem significado, disponha-se a plantar sementes eternas em lugares férteis. Você terá uma enorme safra de bênçãos quando se concentrar em conhecer a Palavra de Deus e se dedicar a amar os outros de maneira altruísta. Como a presença envolvente de um poderoso carvalho, você abrigará as futuras gerações com o poder de seu legado atemporal.

PARA A VIDA TODA

1. Quanto tempo você passa lendo, estudando e desfrutando a Palavra de Deus? Quantas horas por semana gostaria de passar diante da Palavra? Encontre um horário em sua agenda nos próximos dias e passe-o diante da Bíblia, sabendo que essa semente produzirá frutos mesmo depois que sua vida acabar aqui.
2. Faça uma lista de compromissos, responsabilidades e obrigações importantes, mas que não duram eternamente. Pense em como eliminar esses compromissos de sua agenda, se não permanentemente, pelo menos por um período.
3. Os valores são mais importantes que os bens. Faça uma lista dos valores que você espera deixar e das pessoas que deseja como herdeiros.

Dia 25

Madeira e tijolos

Usando materiais de construção eternos

O preço de uma coisa é o quanto de vida se dá em troca.

Henry David Thoreau

Não é tolice dar aquilo que não se consegue manter para ganhar o que não se pode perder.

Jim Elliot

Pouco depois da tragédia do tsunami, em 2004, tive oportunidade de visitar uma das áreas mais duramente atingidas da Indonésia: Banda Aceh. Ainda que pronto para a viagem, eu estava totalmente despreparado para o impacto de testemunhar a devastação. Depois de viajar muitos quilômetros de estradas barrentas, cheguei a uma ponte cuja imagem ficou gravada em minha mente. Era uma enorme ponte de ferro e concreto que antes conduzia a um vilarejo de milhares de habitantes. Acabava abruptamente, cortada ao meio por uma onda incrivelmente grande. Fui até a extremidade e olhei para baixo. Só vi o oceano. Toda a vila tinha sido riscada do mapa pelo tsunami. Eu estava numa ponte que não levava a nenhum lugar.

A enormidade da perda sob as ondas calmas abaixo de mim literalmente me fez perder o fôlego. Então um pensamento me passou pela cabeça. Todos nós estamos construindo pontes com nossa vida, mas aonde elas estão nos levando? Todos os nossos bens serão apagados um dia, mas nós duraremos para sempre, pois somos seres eternos. Um de nossos principais desejos é fazer deste mundo um lugar melhor do que quando aqui chegamos. Fomos planejados por nosso Criador para cumprir um propósito vital que ninguém mais pode realizar, exceto nós mesmos. Nosso ser está tomado do desejo de causar impacto, de fazer uma diferença que ecoará por toda a eternidade, muito depois de o corpo virar pó. Nosso legado é como uma ponte: é óbvio, gostaríamos não só que durasse, mas também conduzisse outras pessoas a um destino significativo na vida. Há coisas demais neste mundo que parecem temporárias, frágeis, finitas. Quando vilas inteiras podem ser varridas numa questão de minutos e torres gêmeas podem ser derrubadas num intervalo de horas, é difícil acreditar que qualquer coisa que façamos tenha efeito duradouro.

Numa escala muito menor, sentimos isso na rotina de nossos compromissos diários e tarefas domésticas. Pais de filhos pequenos têm esse sentimento de modo profundo. Lavamos a louça, mas na próxima refeição ela estará suja de novo. Arrumamos a cama de manhã, mas à noite ela será usada novamente. Fazemos uma refeição, mas em poucas horas ou poucos minutos as crianças estarão famintas de novo. Limpamos a sujeira do chão, mas antes que possamos perceber ele estará sujo. Pegamos as crianças na escola ou no ginásio de esportes, mas no dia seguinte tudo recomeça. Certa vez, minha filha Megan, quando era adolescente, cuidou da casa por um dia inteiro enquanto eu estava fora. Quando cheguei tarde da noite, minha filha, normalmente ativa, estava exausta. Perguntei como tinha sido o dia e ela respondeu: “Passei o dia inteiro lavando e dobrando panos, preparando refeições, lavando a louça e limpando a casa... e ninguém notou. Eu me senti como você!”. É difícil imaginar que estamos construindo uma ponte para a eternidade quando nossas realizações parecem não durar mais do que um dia.

Vale a pena refletir

Que tarefas ou responsabilidades diárias da vida parecem incessantes? Louça? Cozinha? E-mails? Ligações telefônicas? Dirigir? Peça a Deus que o ajude a lembrar-se de que todas as pequenas coisas que você realiza são percebidas por ele.

O DERRADEIRO TREINAMENTO DE INCÊNDIO

Desejamos deixar um legado, saber que fomos importantes. Esse legado será determinado pela maneira como vivemos cada dia. Como já vimos, a pergunta é: nossa influência vai durar mais que nossa vida? Paulo tinha muita consciência da correlação entre os materiais de construção e a qualidade da obra. Em 1Coríntios 3.12-14 ele escreveu:

> Aqueles que constroem sobre esse alicerce podem usar vários materiais: ouro, prata, pedras preciosas, madeira, feno ou palha. No dia do juízo, porém, o fogo revelará que tipo de obra cada construtor realizou, e o fogo mostrará se a obra tem algum valor. Se ela sobreviver, o construtor receberá recompensa.

A cada dia precisamos escolher os materiais — temporais ou eternos — com os quais construiremos a vida. Se seu desejo é garantir um legado mais duradouro que você, capaz de suportar o derradeiro treinamento de incêndio, serão necessários três materiais básicos de construção.

O primeiro são as convicções, ou seja, aquilo que defendemos. Convicções são valores fundamentais da Palavra de Deus que nunca mudam; são eternos. Tendências e estilos vêm e vão, "mas a palavra de nosso Deus permanece para sempre" (Is 40.8). Basta passar os olhos pelas notícias para perceber que até mesmo os estudos considerados científicos variam ou diferem grandemente em suas conclusões. Numa semana, o café é benéfico para a saúde; na seguinte, leva à hipertensão. Num mês, a dieta de proteínas é mais prejudicial do que benéfica; no seguinte, é a última moda. Psicologia popular, tendências de moda, listas dos mais vendidos, tudo isso vem e vai, mas a Palavra de Deus é sólida e segura, e não muda um único milímetro. Era verdade há milhares de anos, é verdade hoje e permanecerá no futuro.

Se nosso desejo é construir um legado eterno, então nossas convicções precisam basear-se na Palavra de Deus. Se os seus valores fundamentais vêm da Bíblia, eles nunca mudarão. São uma rocha firme em um mundo instável. A chave para sua eficácia, porém, é viver de acordo com eles. Devemos mostrar coerência entre aquilo em que acreditamos e o modo como vivemos. Veja como Jesus expressa isso: "Mas quem ouve meu ensino e não o pratica é tão tolo como a pessoa que constrói sua casa sobre a areia" (Mt 7.26).

Estudar a Bíblia não é suficiente; precisamos inseri-la em nossa vida para que se transforme em convicção. Você não acredita realmente em alguma coisa a não ser que viva de acordo com ela. Existe uma diferença fundamental entre crenças e convicções: uma crença é algo a que você se apega, mas uma convicção é algo que se apega a você. Uma convicção é um valor fundamental da Palavra de Deus que nos ancora, nos molda, permeia nossa vida e se transforma numa parte tão grande de nós que passa a ser exatamente aquilo que somos.

UM ESTUDO DE CARÁTER

O próximo material de construção eterno surge em nosso caráter. Ao morrermos, não levamos nada conosco, a não ser nosso caráter, quem somos no íntimo. Desde o início Deus teve um plano, ou seja, fazer você mais semelhante a Jesus Cristo, seu Filho. O plano de Deus é colocar em nossa vida os mesmos traços de caráter de Cristo. "Pois Deus conheceu de antemão os seus e os predestinou para se tornarem semelhantes à imagem de seu Filho, a fim de que ele fosse o primeiro entre muitos irmãos" (Rm 8.29).

Você já viu um grande escultor trabalhando? Os escultores veem o que está dentro do mármore ou da pedra e trabalham para revelá-lo pouco a pouco. Ouvi dizer que, quando perguntaram ao grande escultor Michelangelo como havia criado sua obra-prima, Davi, ele disse que simplesmente eliminou tudo aquilo que não se parecia com Davi. Simples assim. É isso o que Deus faz em sua vida. Ele tira de nosso caráter tudo o que não se parece com Jesus Cristo — as falhas e os problemas — porque seu plano é aperfeiçoar-nos até chegarmos à imagem de seu Filho.

Deus usa vários métodos para cultivar o caráter de Cristo em nós. O primeiro são os problemas da vida. Por mais difíceis que sejam, os problemas sempre têm um propósito. Às vezes Deus permite apenas distrações, aquelas pequenas irritações que aparam as arestas de seu caráter. Em outros momentos, ele pega a britadeira e começa a arrancar grandes pedaços que não se assemelham a Jesus. Se aceitarmos os problemas como oportunidades para confiar em Deus e nos tornarmos mais semelhantes a Cristo, quase não restará espaço para preocupação, autocomiseração ou irritação conosco.

Deus também usa as pressões da vida para aparar arestas. Aprendemos a ter paciência sob pressão. As pessoas mais semelhantes a Cristo que conheci passaram estresse e responsabilidade enormes. Nas situações em que somos espremidos, sempre se extrai o que está dentro de nós, bom ou ruim. Podemos reconhecer nossas limitações e convidar Deus a trabalhar em nossa vida ou insistir em fazer tudo de nosso jeito, mesmo que nossos esforços sejam inúteis.

Por fim, Deus usa as pessoas para enriquecer nosso caráter e eliminar as arestas egoístas que nos impedem de amar da maneira que Cristo ama. Sempre há em nossa vida uma pessoa difícil de ser amada. O simples fato de amarmos não significa que o relacionamento será fácil. Lembre-se de que Deus usa as pessoas como um cinzel para eliminar tudo em sua vida que não se pareça com Jesus Cristo, de modo que possa transformar você numa obra de arte.

Vale a pena refletir

Neste momento, quais são as áreas em que você está sentindo mais pressão? Como reagiu a isso até agora? De que maneira Deus poderia usar essas situações para construir seu caráter?

CONSTRUÇÃO DE PONTES

Legados eternos são construídos sobre nossas convicções, nosso caráter e nossa comunhão. As convicções de Deus e o caráter piedoso duram para sempre, assim como nosso relacionamento com o povo de Deus. Se desejamos construir uma ponte que leve a um destino eterno, precisamos de colegas de trabalho — pessoas que tenham o mesmo compromisso com Deus e com sua Palavra. Do contrário, construiremos pontes que acabarão no meio do nada quando nosso corpo morrer e partirmos desta terra.

Se você anda muito ocupado para dedicar um tempo regular a um grupo de pessoas que pensam como você, está de fato ocupado demais. Lembre-se das irmãs Maria e Marta, amigas de Jesus. Certa noite, elas o convidaram para jantar, e Marta corria de um lado para outro tentando certificar-se de que tudo estava perfeito, uma vez que o Filho de Deus estava em sua casa. Maria, porém, simplesmente sentou aos pés de Jesus, ouvindo-o e desfrutando um tempo de qualidade. Marta ficou muito aborrecida com aquela situação. Ela estava brava com Maria, e acho que, no fundo, estava brava com Jesus, pois ele não a repreendia:

> Marta, porém, estava ocupada com seus muitos afazeres. Foi a Jesus e disse: "Senhor, não o incomoda que minha irmã fique aí sentada enquanto eu faço todo o trabalho? Diga-lhe que venha me ajudar!".
>
> Mas o Senhor respondeu: "Marta, Marta, você se preocupa e se inquieta com todos esses detalhes. Apenas uma coisa é necessária. Quanto a Maria, ela fez a escolha certa, e ninguém tomará isso dela".
>
> Lucas 10.40-42

Jesus tem seu jeito próprio e terno de cravar a faca da verdade em nosso coração e atingir o ponto necessário. Suas palavras devem ter ferido a pobre Marta. Ela pensou: "Jesus, o Senhor já viu tudo o que estou fazendo? Estou trabalhando como louca, e veja o que o Senhor deixa Maria fazer. Sabe, o Senhor é o Filho de Deus. Por que não fala para ela vir me ajudar?". Jesus respondeu de maneira bondosa: "Minha amiga, você está perdendo o bonde. Suas prioridades estão erradas. Maria está fazendo o que é mais importante, o que vai durar, a única coisa que é eterna. Você está transformando a vida cristã em algo muito complicado! Na verdade, ela é simples. Tudo o que realmente importa é seu relacionamento comigo e com os outros".

Se nossa expectativa fosse de viver apenas mais algumas semanas, a necessidade de concentrar-nos em Jesus e naqueles a nosso redor seria mais clara e mais fácil. Como já vimos, construir um legado eterno exige investimento em outras pessoas. A realidade com frequência desprezada é que pelo menos algumas dessas pessoas devem compartilhar nossos objetivos. Talvez elas não andem como nós (da mesma maneira que Maria não ajudou a preparar a refeição como Marta queria), mas se estão buscando a Deus e se conhecemos seu coração, temos certeza de que há um elo que nos une.

A maioria dos bens materiais que deixaremos não durará muito mais que nós. Nosso dinheiro será gasto, nossa casa e nossas propriedades se deteriorarão ou serão vendidas, nossos pertences pessoais se tornarão peças de antiguidade. Vi recentemente um antiquário chamado Coisas de Gente Morta. É um nome engraçado, mas descreve o que todos os nossos bens materiais serão um dia. Se, porém, construirmos nossa vida sobre convicções, caráter e comunhão, estabeleceremos um memorial eterno que beneficiará um número incontável de vidas por gerações e gerações. Teremos investido nossa vida na criação de uma ponte que, por fim, levará outras pessoas a Deus. Não há legado mais gratificante.

PARA A VIDA TODA

1. Numere uma sequência de itens de 1 a 5. Escreva cinco convicções que você considera atemporais. Reveja cada uma delas e reflita sobre seus fundamentos. Em que aspectos são reforçadas pela Palavra de Deus, pela vida dos outros e por sua própria experiência?
2. Faça outra lista numerada de 1 a 5, desta vez relacionando os traços de caráter pelos quais você gostaria de ser lembrado

depois de deixar esta terra. Como você viu Deus cultivando essas coisas em sua vida? Em quais delas Deus parece concentrado neste exato momento?

3. Faça outra lista de cinco itens. Escreva o nome de cinco pessoas — que não sejam familiares nem colegas de trabalho — que compartilham suas convicções e o compromisso de ter um caráter piedoso. Com que frequência as encontra? Como poderia incentivá-las? Em quais áreas poderiam desenvolver um programa de prestação de contas? Considere a ideia de fazerem juntos um estudo bíblico.

Dia 26

Colisões

Mantendo o rumo quando sua vida sofre um acidente

A felicidade não é um objetivo; é um subproduto.

Eleanor Roosevelt

Ao nascer, você chorava enquanto todos a seu redor sorriam. Viva sua vida de modo que, ao morrer, você sorria e todos a seu redor chorem.

Anônimo

Na infância, entre meus brinquedos favoritos estavam uns carrinhos acionados por um tipo de corda que, ao ser puxada, os fazia andar. Eles batiam uns nos outros, as peças se soltavam e voavam para todos os lados. Depois, era só colocar tudo de volta e brincar outra vez. Era fantástico!

Os carrinhos foram projetados de modo que pudessem facilmente ser remontados, surgindo outro carrinho para ser demolido. Ainda me lembro da música do anúncio de televisão dizendo que eles podiam ser montados de novo e não precisavam de pilhas. Para um menino, era muito divertido criar uma grande colisão, juntar novamente as peças e montar os carros sem nenhum dano permanente.

Como eu gostaria que a vida fosse assim. Mas não é fácil juntar as peças quando ocorrem os acidentes da vida. Às vezes tudo sai dos trilhos, entramos em rota de colisão e não sabemos como pisar no freio. Em geral, começa com aquilo que achamos ser apenas falta de tempo. Nossa agenda fica sobrecarregada, sentimo-nos totalmente esmagados, as paredes começam a se aproximar, as coisas começam a colidir e percebemos que não temos tempo suficiente para fazer tudo.

Costumamos pensar que o problema é uma falha no gerenciamento de tempo e esperamos que, comprando um novo dispositivo eletrônico, tudo seja resolvido. Mas o gerenciamento de tempo é apenas a questão superficial. Se tivéssemos apenas um mês para viver, provavelmente tentaríamos acertar nossa agenda e buscaríamos as verdadeiras causas do desconforto. Descobriríamos as causas básicas da maioria das colisões da vida. Se quisermos deixar um legado duradouro, precisaremos seguir pela estrada certa junto com o Mestre Motorista.

Vale a pena refletir

Qual foi a última vez em que você passou por uma colisão na vida — uma época ou experiência em que sentiu que tudo se desfazia? Como você reagiu? Como reagirá à próxima colisão com base em seu aprendizado nessa experiência?

ROTA DE COLISÃO

A primeira causa é a colisão, o choque de valores. Aquilo que entendemos serem colisões relacionadas à agenda muitas vezes são choques de valores. Nossas ações revelam um conjunto de valores diferente daquele que dizemos ser mais importante para nós. Dizemos, por exemplo, que nossa saúde é importante, mas, às vezes, não nos alimentamos bem nem nos exercitamos. Ou talvez você diga que a família é sua maior prioridade, mas o trabalho com frequência ocupa todo o tempo que você passaria com os familiares. Você pode dizer que Deus é o número um em suas prioridades, mas a realidade é que ele recebe apenas o que sobra de seu tempo, talento e finanças. Uma das maiores fontes de estresse e frustração na vida é o choque de valores. Se nosso tempo fosse repentinamente limitado a um curto período nesta terra, acabaríamos nos esforçando para que nossas ações e nossas crenças estivessem alinhadas.

A boa notícia é que podemos examinar nossa vida, olhar para esses pontos de colisão e mudar a rota que estamos seguindo. Podemos começar a alinhar nossas prioridades com nossa atitude neste exato momento. A melhor maneira de começar esse processo é examinar uma das mais sérias colisões: a das vontades. Há momentos em que minha vontade se choca com a vontade de Deus. Considere como isso se aplica ao gerenciamento de tempo. Deus me criou, e criou um dia que contém 24 horas. Assim, se eu não puder fazer tudo o que preciso nesse período, estou me concentrando em coisas que Deus nunca desejou que eu fizesse.

Mesmo correndo o risco de generalizar demais, afirmo que é simples assim. Deus nos deu tempo suficiente para fazer tudo o que deseja que façamos. Se descansarmos nesse conhecimento e confiarmos nele em relação àquilo que deve ser realizado a cada dia, nossa luta interior diminuirá à medida que confiarmos mais nos planos divinos.

Precisamos definir nosso rumo na vida. Podemos viajar na direção de Deus ou traçar nosso próprio rumo e tentar fazer as coisas sozinhos. Podemos dirigir o carro empurrados pela vontade de Deus ou abastecidos com nossa própria vontade. Quando escolho dirigir meu próprio carro e tomo todas minhas decisões sem consultar a Deus, é como se seguisse na direção errada numa via de mão única. No fim colidimos com

Deus, o que não é bom. Deixaremos um impacto duradouro somente quando permitirmos que o Senhor nos dirija: "Confie no SENHOR de todo o coração; não dependa de seu próprio entendimento. Busque a vontade dele em tudo que fizer, e ele lhe mostrará o caminho que deve seguir" (Pv 3.5-6).

Vale a pena refletir

Numa escala de 1 a 10, sendo 1 seguir sua própria vontade e 10 seguir a vontade de Deus, onde você se encontra hoje? Em quais áreas da vida vê maior discrepância entre sua vontade e a vontade de Deus — relacionamentos, finanças, crescimento espiritual, alguma outra?

FORÇA DE VONTADE

Como é possível permanecer no centro da vontade de Deus? O salmista nos instrui:

> Confie no SENHOR e faça o bem,
> e você viverá seguro na terra e prosperará.
> Busque no SENHOR a sua alegria,
> e ele lhe dará os desejos de seu coração.
> Entregue seu caminho ao SENHOR;
> confie nele, e ele o ajudará.
>
> Salmos 37.3-5

Como evitar as terríveis colisões que ocorrem quando nossa vontade se interpõe ao plano perfeito de Deus para nossa vida? Se observarmos o texto, descobriremos três princípios para permanecer dentro da vontade de Deus. O primeiro deles é ligado à confiança: "Confie no SENHOR e faça o bem". Se confiarmos em Deus, nosso desejo será obedecer-lhe, em vez de seguir nossos próprios anseios. Se não confiarmos nele, vamos querer sentar ao volante e assumir o controle.

Esse princípio me traz à lembrança uma experiência que tive com meus dois filhos mais velhos. Os dois dirigem muito bem, mas no início não era muito confortável estar ao lado deles no banco do passageiro. Eu me segurava, apertava os dentes e tentava não falar muito. Logo descobri que de fato não podia criticá-los por coisas que eles haviam aprendido ao andar comigo. Os adolescentes não deixam passar nada: têm um medidor de hipocrisia incrivelmente preciso! Meus filhos andavam a 60 quilômetros por hora numa rua cujo limite era 50. Eu dizia: "Você precisa andar dentro do limite de velocidade. Essa área é vigiada constantemente. Você vai ser multado". Certa vez, meu filho Ryan olhou para mim e disse: "Nunca vi você dirigindo a 50 por hora". Ai, ai, ai...

Depois dessa lição de volante, meu filho olhou para mim e disse: "Você tem problemas de controle". Ele me acertou em cheio. Na verdade, eu tinha algumas dificuldades de controle, algo especialmente sério em relação à vontade de Deus. Você também tem. Não tem tanto a ver com a vontade de Deus, mas com o volante de Deus. É de fato uma luta para saber quem assume o controle do volante.

Estamos sempre tentando arrancar o volante das mãos de Deus. Achamos que podemos dirigir melhor que ele. Sempre dizemos como se deve dirigir e aonde ir, com o pensamento "sei o que é melhor para mim". Deixamos Deus dirigir, contanto que seja na rota que já escolhemos. Quando não conseguimos imaginar o que ele está planejando, ficamos nervosos. Assim, se não podemos ver aonde ele vai ou como chegaremos lá, ficamos nervosos e pegamos o volante de novo. É nesses momentos que precisamos aprender a relaxar e entregar o controle do volante ao Mestre Motorista. Temos de aprender a confiar nele o suficiente para dizer: "Eu não sei o que fazer aqui, mas quero o que o Senhor quer, mais que qualquer outra coisa. Quero sua vontade. Impeça-me de cometer um erro". Quando chegamos a esse ponto, então Deus dirige nosso caminho e nos alinha com os propósitos que tem para nossa vida.

Existe outro princípio para permanecer dentro da vontade de Deus. Não apenas preciso confiar, mas também me alegrar. O salmista diz: "Busque no SENHOR a sua alegria, e ele lhe dará os desejos de seu coração" (Sl 37.4). Em hebraico, a palavra "alegrar" significa "desfrutar". Quando você se alegra em alguém, desfruta sua companhia e quer passar tempo com aquela pessoa. Todos nós queremos receber aquilo que nosso coração deseja, e essa passagem deixa claro que isso é possível. Mas existe uma condição — é uma promessa com uma premissa. Devemos alegrar-nos no Senhor mais do que ansiamos pelos desejos do coração. É aqui que muitas pessoas perdem de vista o que é a vontade de Deus. Achamos que, se ele realmente nos ama, deveria deixar que dirigíssemos o carro. Mas ele quer que desejemos estar com ele, que o conheçamos e o amemos mais que a qualquer destino a que possamos chegar sozinhos.

Quando nosso filho mais velho conseguiu a carteira de habilitação, ele mal podia esperar para sair de casa e ser independente. Sempre havia um jogo, um trabalho da escola, um evento — alguma coisa que exigia que ele fosse de carro a algum lugar. Então, numa noite de sexta-feira, fiquei surpreso ao vê-lo sentado na mesa do jantar com a família.

— Estou feliz por vê-lo, mas o que você está fazendo aqui? — perguntei.

Ele sorriu e disse calmamente:

— Eu queria ficar em casa esta noite. Sinto falta de vocês.

Uau! Ganhei o dia! Com Deus é a mesma coisa. Ele deseja que nossa alegria nele seja maior do que a alegria que sentimos por nossa própria liberdade. De fato, quando nos alegramos nele, os desejos do coração muitas vezes mudam. Não queremos mais as coisas de nosso jeito; queremos do jeito dele.

Finalmente, se desejamos permanecer no centro da vontade de Deus, devemos confiar, alegrar e entregar. "Entregue o seu caminho ao SENHOR; confie nele, e ele o ajudará" (Sl 37.5). Precisamos seguir a vontade de Deus. É comum dizermos: "Deus, mostre-me tua vontade, e eu a considerarei uma alternativa nessa decisão que estou tomando". Então Deus diz: "Não, você precisa seguir minha vontade e, então, eu a mostrarei a você".

Talvez você se sinta como se sua vida tivesse passado por um acidente, e o que restou dela esteja difícil de ser reconhecido ou restaurado. Parece que você virou o objeto de curiosidade da multidão — uma vida bagunçada para a qual todos olham. Tenho boas notícias. Não é tarde demais para mudar o curso de sua vida! Deus ainda tem um grande plano para você, mas o primeiro passo é sair do banco de motorista e pedir que ele assuma o volante. Comece oferecendo a ele o primeiro lugar em todas as decisões e veja sua vida ser transformada.

Isso nos leva de volta à confiança. A obediência começa e termina com confiança. Damos um passo de fé ao permitir que Deus dirija nosso carro e nos leve aonde ele quer que estejamos. Mas não se trata de um processo passivo; ele deseja que prestemos atenção e ajamos durante o caminho. A maior parte de um legado duradouro resulta de ações que realizamos na vida. Dizemos que nosso desejo é estar mais próximos dos entes queridos, mas esse desejo só se concretiza se passarmos tempo de qualidade e em quantidade, se tivermos conversas honestas, se compartilharmos tristezas e alegrias. Dizemos que nosso objetivo é fazer diferença neste mundo, transformá-lo num lugar melhor que era quando o conhecemos. Mas devemos agir dirigidos por nosso Pai, para alcançar as outras pessoas, amá-las e servi-las.

Nosso tempo nesta vida é limitado. Se realmente quisermos ter certeza de que realizamos nosso propósito quando chegar a hora de partir, teremos de permanecer dentro da vontade de Deus, confiando, deleitando-nos e entregando-nos ao caminho divino. Ele é o único que pode reconstruir nossa vida e redirecionar nossa vontade quando ela colidir com a dele.

PARA A VIDA TODA

1. Qual é a maior barreira de sua vida para confiar em Deus neste exato momento? Que experiências do passado fizeram que você tivesse dúvidas, ficasse irado, ferido ou desapontado? Passe algum tempo em oração, escrevendo ou conversando com Deus sobre essas experiências. Será difícil confiar nele se não houver comunicação.
2. Cite cinco desejos de seu coração. Seja o mais honesto possível. Passe algum tempo refletindo sobre cada desejo e a razão dele. Entregue sua lista a Deus, pedindo que lhe apresente a perspectiva dele em relação a cada item.
3. Se você tivesse apenas um mês para viver, quais seriam três atitudes que gostaria de ter para alinhar seu tempo com a vontade de Deus? O que o impede de fazer isso agora? Escolha uma dessas atitudes e coloque-a em prática nesta semana.

Dia 27

Estrela-do-mar

Fazendo um mundo de diferença

A verdadeira medida de um indivíduo é a maneira como ele trata uma pessoa que não lhe fará bem algum.

Ann Landers

Basta que os homens bons não façam nada para que o mal triunfe.

Edmund Burke

A vida certamente mudou muito desde a época de minha infância. Em relação a nossos filhos, estamos muito mais preocupados com a segurança do que nossos pais estavam. Minha geração não usava capacete quando andava de bicicleta, e naquela época os carros não tinham *air bags*. Bebíamos água direto da torneira do jardim e sobrevivemos para contar a façanha! Não há nada de errado em proteger nossos filhos — meus filhos, por sinal, acusam-me de superproteção o tempo todo. O problema surge quando começamos a pensar que a felicidade significa estar seguro e confortável e quando nosso principal objetivo na vida é fugir de todo risco. Quando nossa maior prioridade é estar são e salvo, perdemos contato não apenas com as necessidades dos outros, mas com uma necessidade primária de nós mesmos.

Fomos criados para muito mais que apertar botões e rolar telas. Fomos criados para uma grande aventura! Deus nos criou para assumir grandes riscos e enfrentar enormes desafios, para realizar objetivos imensos que terão um impacto duradouro.

Se você descobrisse que tem apenas um mês para viver e começasse a considerar de que modo poderia deixar um legado global duradouro, poderia sentir-se tentado a pensar: "É tarde demais. Não tenho dinheiro nem poder necessários para fazer diferença neste mundo". Mas nunca subestime o poder de *uma* pessoa. É a habilidade que cada um de nós tem de ser usado por Deus a cada dia para abençoar o resto do mundo.

Vale a pena refletir

Para você, qual a importância do conforto neste estágio da vida? De quais conveniências seria mais difícil abrir mão? De seu computador? Do micro-ondas? Do celular? Do colchão? Da cafeteira?

O PODER DE UMA PESSOA

Um executivo em visita a uma cidade turística saiu do hotel em que estava hospedado certa manhã para caminhar. Quando chegou à beira da praia, deparou com uma visão atordoante: inúmeras estrelas-do-mar haviam sido deixadas na praia durante a noite pela maré alta. Ainda estavam vivas e se moviam, subindo umas em cima das outras na tentativa de voltar para o oceano. Aquele homem tinha consciência de que não demoraria muito até que o sol cozinhasse aquelas pobres criaturas. Ele queria fazer alguma coisa, mas havia milhares delas, até onde os olhos podiam ver, e qualquer tentativa de salvar todas elas seria inútil.

Assim, seguiu em frente. Caminhando um pouco mais pela praia, viu um menino que se abaixou, pegou uma estrela-do-mar e jogou-a de volta ao oceano. O menino repetiu o processo várias e várias vezes, aumentando cada vez mais a velocidade, numa óbvia tentativa de salvar o máximo possível delas.

Percebendo a intenção do menino, o executivo sentiu-se na obrigação de ajudá-lo e também ensinar-lhe uma dura lição de vida. Foi até o pequeno e disse:

— Filho, deixe-me dizer-lhe uma coisa. O que você está fazendo aqui é nobre, mas não é possível salvar todas estas estrelas-do-mar. Existem milhares delas. Está começando a ficar muito quente, e todas elas vão morrer. É melhor você seguir seu caminho e brincar. Não dá para fazer nenhuma diferença aqui.

O menino não disse nada num primeiro momento; ficou simplesmente olhando para o executivo. Então, abaixou-se, pegou outra estrela-do-mar, jogou-a no oceano o mais longe que pôde e disse:

— Bom, eu fiz *toda* diferença para esta aqui.

É comum as crianças nos ensinarem mais do que nós a elas, e certamente foi o caso aqui. Esse menino não permitiu que a magnitude da situação o impedisse de fazer aquilo que estava ao alcance: salvar uma estrela-do-mar por vez. Talvez o melhor resumo da ideia tenha sido apresentado por Helen Keller: "Sou apenas uma, mas ainda sou uma. Não posso fazer tudo, mas ainda assim posso fazer alguma coisa; e não é porque não possa fazer tudo que vou me recusar a fazer algo a meu alcance".

Quando assistimos ao noticiário e somos lembrados de problemas mundiais como a fome, epidemias, guerra e escassez, costumamos reagir com profunda apatia ou frustração resignada. Muitos de nós são tentados a dizer: "Por que tentar fazer alguma coisa? O problema é tão grande e complexo que eu jamais faria diferença". Existe a tentação de transformar esses problemas em abstrações, em vez de enxergá-los como realidades diárias de vidas humanas individuais. Mas se realinharmos nossa visão com a perspectiva de Deus e pegarmos uma estrela-do-mar por vez, faremos o que podemos, não importa quanto nossos esforços possam parecer pequenos ou inúteis. Se atingirmos uma vida, poderemos fazer diferença entre a vida e a morte — tanto física quanto espiritual — para outro ser humano. Se transformarmos em hábito o ato de fazer o que podemos, onde podemos, seremos transformados à medida que ajudarmos os outros. Como Ralph Waldo Emerson observou: "Nada embeleza mais a pele, o corpo ou o comportamento do que o desejo de espalhar alegria, em vez de dor, aos que estão perto de nós".

SACRIFÍCIO VIVO

Raramente encaramos o fato de que temos uma pergunta incômoda no fundo da alma: Como podemos reconciliar o fato de vivermos em casas bonitas, termos bons carros e muita comida enquanto a maioria do mundo vive com menos de dois dólares por dia? Você leu corretamente. Três bilhões de pessoas no mundo vivem hoje com menos de dois dólares por dia. Enquanto levamos nossos filhos para o treino de futebol em nossos carros de luxo, as crianças em San José, na Costa Rica ou em Nairóbi, no Quênia, bem como milhares de crianças em outras cidades ao redor do mundo, jogam futebol na rua ao lado de esgoto a céu aberto e chutam bolas feitas de restos de papel e fita adesiva.

Não quero fazer você se sentir culpado, mas apenas lembrá-lo de que perdemos a perspectiva. Perdemos a capacidade de ver além da própria vida por duas razões fundamentais: o desejo humano de controlar o próprio mundo, seguro e confortável, e nossa cultura que nos leva a adquirir mais e doar menos.

Se soubéssemos que nosso tempo na terra estava se esgotando, nosso desejo seria fazer tudo o que pudéssemos para impactar os outros. Não gostaríamos de ter o arrependimento de uma vida mal vivida e autocentrada. Desejaríamos ter a certeza de que honramos o Deus que amamos, sendo excelentes administradores de tudo o que ele nos concedeu. Em sua carta aos Romanos, o apóstolo Paulo escreveu:

> Portanto, irmãos, suplico-lhes que entreguem seu corpo a Deus, por causa de tudo que ele fez por vocês. Que seja um sacrifício vivo e santo, do tipo que Deus considera agradável. Essa é a verdadeira forma de adorá-lo. Não imitem o comportamento e os costumes deste mundo, mas deixem que Deus os transforme por meio de uma mudança em seu modo de pensar, a fim de que experimentem a boa, agradável e perfeita vontade de Deus para vocês.
>
> Romanos 12.1-2

Há algum problema em tomar nosso café expresso todos os dias? Em ter coisas bonitas? Em desfrutar as bênçãos em nossa vida? Não. Mas se desejamos deixar alguma coisa substancial, temos de acordar e perceber que nossa maturidade incentiva o cumprimento desse objetivo. Paulo revela o segredo para a maturidade: devemos abandonar o foco no conforto próprio e tornar-nos sacrifícios vivos. O objetivo da maturidade é ir além de nós mesmos e de nossos próprios desejos. Se, de fato, queremos crescer no caráter e na fé, precisamos dispor-nos a mudar nosso objetivo, deixando a segurança e passando ao sacrifício.

Uma das primeiras e mais importantes ações para começar a nos importar com os outros é orar pelos pobres e oprimidos espalhados pelo mundo. Ore por suas necessidades. Por sua cura. Por sua liberdade religiosa e política. Por comida, água potável e cuidados médicos básicos. Quando começamos a orar pelas pessoas feridas do outro lado do mundo, passamos a nos importar com elas e nos interessamos mais pelos detalhes de sua vida. Essa atitude conecta nosso coração ao delas. Ficamos mais conscientes daquilo que temos, de como podemos usar isso e de por que recebemos tais coisas. Sim, Deus já sabe das necessidades de todas as pessoas do mundo. Mas orar faz que você e eu nos concentremos nas necessidades dos outros de maneira singular. Somos forçados a olhar além de nós mesmos e a confiar que Deus nos mostrará de que maneira poderemos amar e ajudar aqueles pelos quais oramos.

Vale a pena refletir

Com que frequência você deixa passar oportunidades por achar que sua contribuição é pequena demais? Quais são as "estrelas-do-mar" de sua vida? Você tende a responder mais como o menino ou como o executivo? Por quê?

AÇÃO EXIGIDA

É comum sermos inspirados a amar os outros pelo ato de autodoação — oferecendo aquilo que temos para ajudar as pessoas a superar problemas e para enriquecer vidas. Oferecemos nosso corpo como sacrifício vivo quando doamos tempo, talento e bens. Se quiser sentir a plena aventura que sua vida tem o propósito de ser, esteja disposto a tomar uma atitude e servir aos necessitados com o amor de Deus. A Bíblia tem muito a dizer sobre a questão de cuidar das necessidades do pobre: "Quem fecha os ouvidos aos clamores dos pobres será ignorado quando passar necessidade" (Pv 21.13). Somos responsáveis diante de Deus pela maneira como usamos nossas bênçãos para ajudar o pobre e o ferido.

Nossos maiores presentes — tempo, talentos e bens — são essenciais para o processo de amadurecimento e construção de um legado global. Já discutimos o valor do tempo como nosso bem mais precioso e limitado. Se você quer sacrificar alguma coisa que ninguém mais pode dar, doe parte de seu tempo a alguém. Ninguém controla esse bem a não ser você. A maneira como você gasta seu tempo revela o que está plantado mais firmemente em seu coração.

No que se refere aos talentos, todos nós os temos. Sim, todos. Mas inventamos todo tipo de desculpa: "Bem, não sou um especialista na Bíblia e, portanto, não posso ensinar nem fazer missões" ou "Não tenho muito dinheiro guardado para ajudar na caridade". Mas pense naquilo que você pode fazer. Considere a especialização que você tem e os trabalhos que já realizou — construção, finanças, vendas, medicina, educação... Você tem conhecimentos, habilidades e técnicas que podem mudar a vida de outras pessoas se você as colocar em prática. Consegue ser um bom ouvinte e se importar com alguém? Oferecer um sorriso? Abraçar uma criança? Subestimamos o poder do simples fato de estar presentes na vida de outra pessoa.

O dinheiro e a maneira como o gastamos também revelam muito sobre quem somos e o que valorizamos. Deus disse que não há problema em ser abençoado financeiramente, contanto que façamos duas coisas com nosso dinheiro e nossos bens: desfrutar o que temos, em vez de sempre querer mais, e doar generosamente. Se fizermos essas duas coisas, cresceremos em maturidade e desfrutaremos um nível de satisfação que o dinheiro jamais poderá comprar. Mas se armazenarmos nossas bênçãos e considerarmos natural o fato de Deus nos dar o que temos, nosso coração ficará endurecido e jamais conseguiremos conciliar as coisas que são mais importantes.

A última maneira de crescer em maturidade e criar um coração consciente do mundo é trabalhar em comunidade. Seja por meio da igreja, da escola, da empresa, da vizinhança, seja da família, somos chamados a nos reunir e ajudar os outros.

> Da mesma forma que nosso corpo tem vários membros e cada membro, uma função específica, assim é também com o corpo de Cristo. Somos membros diferentes do mesmo corpo, e todos pertencemos uns aos outros.
>
> Deus, em sua graça, nos concedeu diferentes dons.
>
> Romanos 12.4-6

Juntos, podemos literalmente mudar o mundo.

PARA A VIDA TODA

1. No próximo mês, escolha um item de conforto, luxo ou conveniência do qual abrirá mão. Pode ser seu café expresso diário, a novela, sua sobremesa favorita etc. Use o tempo ou o dinheiro que você geralmente empregaria nesse item para um propósito mais elevado — orar, contribuir para filantropia ou missões, oferecer seus serviços a alguém necessitado. Esse exercício pode ajudá-lo a construir uma nova perspectiva sobre o que significa ser um sacrifício vivo.
2. Qual causa, situação ou grupo de pessoas o mobiliza? Pode ser alguma região assolada por guerras, alguma tragédia em seu país, missões na China. Somos atraídos de vez em quando para uma preocupação fora de nossa órbita normal. Nesta semana, passe algum tempo orando por essas pessoas e procure maneiras de servi-las — use seu tempo, talentos ou bens. Dedique-se a um objetivo específico que satisfaça algumas das necessidades das pessoas que enfrentam essas questões.

3. Há necessidades por todo lado. Não precisamos sair dos limites da vizinhança nem de nosso país para realizarmos uma doação sacrificial. Nesta semana, inicie um projeto de serviço em sua área. Você pode trabalhar com sua igreja, uma comunidade na internet ou seu departamento na empresa. Dedique-se a um objetivo específico, por exemplo, fazer consertos domésticos na casa de uma mãe separada ou de uma viúva, iniciar uma campanha de roupas para um asilo ou levantar fundos para grupos de apoio. Estabeleça uma data e determine o papel que cada pessoa no grupo desempenhará para satisfazer as necessidades e realizar o trabalho.

Dia 28

Pegadas

Deixando uma impressão duradoura

Meus filhos não se lembrarão das palavras de sabedoria que eu lhes disse ao longo dos anos, nem os seus se lembrarão dos bons conselhos que você lhes deu. Mas um retrato indelével de quem você é e de como viveu está gravado na mente e plantado no coração deles.

Dorothy Kelley Patterson

Nosso sustento vem do que obtemos, mas nossa vida vem do que doamos.

Winston Churchill

A conscientização do que significa "ser ecologicamente correto" continua a ganhar força. Parece que hoje em dia cada vez mais pessoas estão preocupadas com suas pegadas ecológicas. Questões importantes como o aquecimento global, a reciclagem, a dependência de combustíveis fósseis e a poluição continuam em alta, o que leva todos a se esforçarem por deixar a menor pegada ecológica possível. Queremos ser bons administradores do planeta por causa da responsabilidade que Deus nos confiou em relação a sua criação. Contudo, na mesma medida que procuramos maneiras de diminuir a pegada ecológica, devemos aumentar a pegada espiritual. Precisamos causar a impressão mais positiva e mais duradoura possível na vida das pessoas. Para fazer isso, é necessário ter um firme propósito em relação ao tipo de impressão que deixamos.

Muitas vezes nossas prioridades espirituais convergem com a aplicação prática. Nunca me esquecerei de uma campanha em nossa igreja motivada pela descoberta da falta de sapatos nos abrigos dos sem-teto de Houston. Muitas pessoas contribuíam com cobertores e comida, mas poucas perceberam a grande necessidade que os sem-teto tinham de sapatos quentes e em bom estado. Assim, no final de um culto, compartilhei minha visão de que poderíamos fazer uma enorme diferença em apenas um único fim de semana. Pedi a todos que se sentissem tocados que tirassem seus sapatos e os deixassem na frente da igreja, saindo de meias ou descalços, sentindo o chão frio que muitos homens e mulheres sem-teto sentiam todos os dias. A igreja respondeu ao desafio de maneira impressionante. Recolhemos 4.500 pares naquele dia e resolvemos o problema de sapatos em Houston, fazendo um estoque para vários meses.

Esse é o tipo de impacto que podemos provocar a cada dia. Não é preciso tornar-se missionário internacional, ser milionário nem pedir demissão do emprego. Se quisermos causar impacto sobre aqueles que nos seguem, precisamos apenas amar a Deus, servir aos outros e doar daquilo que já nos foi concedido. Uma das melhores maneiras de contribuir com nosso legado espiritual único é o tratamento que dispensamos às pessoas.

Vale a pena refletir

Pense numa experiência recente em que suas crenças espirituais o levaram a uma aplicação prática de serviço a outras pessoas. Que necessidade dessas pessoas a experiência pôde satisfazer? Que necessidade ela satisfez em você?

SOLUÇÃO PARA A POLUIÇÃO

Do mesmo modo que devemos controlar a emissão de gases tóxicos industriais e diminuir a poluição, devemos lidar com os resíduos que se acumulam em nossa alma. Pode ser tentador desprezar nossas próprias faltas e deficiências e nos concentrar exclusivamente nos erros alheios. Todos nós conhecemos pessoas que se orgulham de sua espiritualidade, mas apontam as falhas dos outros e ignoram as próprias.

Deus nos chama a olhar para dentro e examinar nossa própria consciência sem julgar outras pessoas. Lemos em Isaías 1.18: "Embora seus pecados sejam como o escarlate, eu os tornarei brancos como a neve; embora sejam vermelhos como o carmesim, eu os tornarei brancos como a lã". Todos nós cometemos erros, fizemos escolhas ruins e ferimos aqueles a quem mais amamos. Podemos tentar cobrir o lixo da alma, ignorá-lo e fingir que não está ali, mas isso não elimina a poluição que corrói e sufoca nosso coração. Julgamos os outros, fazendo comparações tais que nos levem a pensar que somos melhores por não ter cometido determinados erros. Mas pecado é pecado. Talvez eu e você tenhamos pecados diferentes na vida, mas todos eles nos colocam abaixo do padrão de Deus. Todo mundo já teve uma alma poluída, porque todos nós pecamos.

A notícia que transforma a vida é que Jesus Cristo nos perdoa e nos limpa até mesmo da sujeira mais oculta. Converso com muitas pessoas que se aproximam do final da vida, e a maioria delas é forçada a enfrentar faltas, arrependimentos e erros. Em geral, estão mais ansiosas que nunca para abraçar o presente da graça de Deus. A boa notícia é que temos esse dom à disposição a cada dia, quer tenhamos quatro semanas, quer muitos anos pela frente neste mundo.

Se quisermos deixar um legado de graça para aqueles que nos sucederem, temos de começar reconhecendo nossa necessidade pessoal do perdão de Deus. Uma das melhores maneiras de fazer isso é pelo exame diário da consciência. Quando estamos em dia com Deus, impedimos que os escombros espirituais se acumulem e bloqueiem nossa capacidade de amar e servir.

Vale a pena refletir

Qual sua reação normal ao refletir sobre seus pecados e suas deficiências? Isso em geral o aproxima da graça de Deus ou o leva a um esconderijo mais profundo? Como você costuma reagir às falhas e aos pecados dos outros? Qual é a correlação entre a maneira que você vê seus pecados e como vê os pecados das outras pessoas?

RECICLANDO A GRAÇA

Ao sentirem o perdão e o amor de Deus pelo presente que é seu Filho, as pessoas em geral se prontificam a pedir perdão àqueles a quem feriram e a estender misericórdia àqueles que as magoaram. Com a liberdade e a alegria resultantes do perdão de Deus, sentem-se fortalecidas para enfrentar alguns dos capítulos mais difíceis da vida.

De fato, como Jesus explica em uma de suas parábolas, existe uma relação recíproca entre o perdão que recebemos e o que concedemos. Gosto de pensar nisso como uma maneira de reciclar a graça: entregar de maneira generosa aquilo que recebemos de Deus. Depois que um servo endividado implora misericórdia a seu senhor pela grande dívida que tem, esse servo mantém preso outro servo por não ter conseguido pagar uma quantia muito menor do que aquela que devia ao rei. Esse padrão duplo não funciona no reino de Deus:

> Então o senhor chamou o homem cuja dívida ele havia perdoado e disse: "Servo mau! Eu perdoei sua imensa dívida porque você me implorou. Acaso não devia ter misericórdia de seu companheiro, como tive misericórdia de você?". E, irado, o senhor mandou o homem à prisão para ser torturado até que lhe pagasse toda a dívida.
>
> Assim também meu Pai celestial fará com vocês caso se recusem a perdoar de coração a seus irmãos.
>
> Mateus 18.32-35

Se julgarmos menos e confessarmos mais nossas próprias deficiências, investiremos num legado eterno: nosso caráter e seu efeito sobre as gerações futuras. Pedir perdão e admitir que ferimos alguém talvez nunca seja fácil ou tão natural quanto gostaríamos. Mas, se soubéssemos que não teríamos outra oportunidade de acertar o relacionamento, aproveitaríamos todas as possibilidades para expressar nossa tristeza por termos ferido os outros. Em Provérbios 28.13, aprendemos que "quem oculta seus pecados não prospera; quem os confessa e os abandona recebe misericórdia". O ato de abrir o coração pode restaurar o nível de paz que o orgulho, a ira e a pretensão roubaram de nós.

É muito comum tentarmos fazer acertos com os outros sem de fato aceitar e sentir o poder da graça em nossa vida. Achamos que precisamos esforçar-nos muito para fazer ajustes com as pessoas que ofendemos e permanecemos calados em relação àqueles que nos feriram, fingindo que nada aconteceu. Mas, quando encontramos o poder radical da graça de Deus, ele literalmente transforma nossa vida.

Deus o ama como você é, mas ele o ama demais para deixar que continue como está. O texto de Filipenses 2.13 coloca a questão da seguinte maneira: "Pois Deus está agindo em vocês, dando-lhes o desejo e o poder de realizarem aquilo que é do agrado dele". Nosso Pai nos capacita a viver uma vida transformada quando admitimos nossos erros e as consequências deles. A Bíblia diz que Deus dá graça ao humilde, mas se opõe ao orgulhoso (Pv 3.34). Desse modo, quando nos humilhamos e dizemos "Deus, preciso que o Senhor me dê poder para mudar; preciso de poder para amar; preciso que o Senhor me dê força para fazer as coisas que o Senhor quer que eu faça", ele nos enche com seu poder e sua força.

Cristo nos encontra em meio a nossa vida confusa, mas ele não diz: "Ei, primeiro mude sua atitude e depois vou pensar em amar você". Não. A Bíblia diz que, enquanto eu ainda era pecador, Cristo veio, segurou-me em suas mãos e me perdoou. Quando ainda estava na pré-escola, um de meus filhos sofreu um acidente na frente de vários adultos amigos meus. Quando percebeu o que havia acontecido, ficou muito envergonhado. Ele olhou para cima e disse: "Me pega no colo!". Como respondi? Por acaso disse: "De jeito nenhum! Droga! Vá se limpar e *então* eu pego você no colo!"? É claro que não! Peguei-o e o segurei bem junto de mim porque ele é meu filho, e eu o amo sem restrições.

A graça me aceita como estou, mas a graça também me dá o poder de mudar. O texto de Tito 2.11-12 diz:

> Pois a graça de Deus foi revelada e a todos traz salvação. Somos instruídos a abandonar o estilo de vida ímpio e os prazeres pecaminosos. Neste mundo perverso, devemos viver com sabedoria, justiça e devoção.

Quando estamos na atmosfera da graça de Deus e nos sentimos totalmente aceitos, clamamos por mudança. Queremos conhecer a Deus e ser mais semelhantes a ele.

Se tivesse apenas um mês para viver, certamente você iria querer mudar algumas coisas na vida. O problema é que nenhuma mudança duradoura pode ser realizada a não ser que sejamos transformados e energizados pela derradeira fonte de poder, a graça de Deus. Não podemos esperar sair bem da vida sem ela. Não podemos deixar um legado espiritual duradouro a não ser que nos coloquemos no lugar da outra pessoa, perdoando-a como fomos perdoados.

Somos troféus da graça. "Portanto, aceitem-se uns aos outros como Cristo os aceitou, para que Deus seja glorificado" (Rm 15.7). Devemos aceitar uns aos outros e mostrar o amor de Cristo aos que estão a nossa volta. Isso pode significar que às vezes haverá uma confrontação com os outros ou que será preciso humilhar-nos a ponto de confessar e pedir-lhes perdão. Somente a graça de Deus nos permite esquecer as feridas do passado e perdoar os outros. Somente sua graça pode motivar-nos a deixar de lado o orgulho, a vergonha, a culpa e o arrependimento e pedir que os outros nos perdoem. Quanto mais colocarmos a prática da graça em nossa vida, maior será o legado que deixaremos. Nas palavras de Jackie Windspear: "A graça não é uma breve oração que se recita antes das refeições. É uma maneira de viver".

PARA A VIDA TODA

1. Pense numa pessoa querida que já faleceu. Como você descreveria o legado espiritual que essa pessoa deixou? O que gostaria de imitar em relação ao legado de caráter dessa pessoa? O que evitaria?
2. Passe algum tempo com Deus em oração e confissão. Peça que ele lhe revele a graça de uma maneira nova, de modo

que você consiga compreender melhor a plenitude do amor que ele tem por você. Dirija-se a alguém a quem você ofendeu ou feriu e peça-lhe perdão.

3. Existe alguém que precisa de seu perdão? Reflita sobre o alto preço que Deus pagou para perdoar você. Pergunte a Deus qual atitude ele deseja que você tome em relação àquela pessoa.

Dia 29

Fim de jogo

Morrendo para viver

Se eu descobrisse, dentro de mim mesmo, um desejo que nenhuma experiência deste mundo pudesse satisfazer, a explicação mais provável é que fui criado para outro mundo.

C. S. Lewis

Nunca tenha medo de confiar um futuro desconhecido a um Deus conhecido.

Corrie ten Boom

Você não precisa ser fã de esportes para apreciar o entusiasmo, a paixão e o drama de dois oponentes equilibrados no campo. Seja o ponto de definição do jogo de seu filho na escola, seja a cobrança de pênaltis decisiva da copa do mundo, adoramos testemunhar vitórias miraculosas que parecem surgir do nada.

Quando se trata do jogo da vida, porém, chegará um momento em que soará o apito final, e o jogo terminará. De fato, as estatísticas mostram que a morte atinge 100% das pessoas! Você não pode evitá-la; não pode trapacear nem dar um jeito nela. No final de tudo, você sentirá o momento em que o último apito soará e nenhum jogador miraculoso permitirá que haja uma prorrogação. Quando nosso corpo finalmente se acabar, deixaremos a vida que conhecemos aqui na terra. Seremos forçados a entrar no processo seguinte, seja qual for.

Uma pesquisa indicou que 81% dos norte-americanos acreditam na vida após a morte. Antigamente, ninguém gostava muito de falar sobre esse assunto, mas há um fascínio cada vez maior em torno daqueles que passaram de raspão pela morte e acreditam ter visto o que acontece depois do último suspiro. Como enfatizamos neste livro, a aceitação de nossa mortalidade pode libertar-nos para viver da maneira mais livre possível. Recebemos a seguinte orientação do livro de Eclesiastes: "O sábio pensa na morte com frequência, enquanto o tolo só pensa em se divertir" (7.4). É sábio ver a vida tendo consciência de seu fim. É tolice ignorar o inevitável. Pensar naquilo que vai acontecer quando soar o último apito permite um foco mais preciso na vida, ajuda a viver com mais propósito e a refletir sobre cada momento.

Vale a pena refletir

Você viu algum lembrete de sua mortalidade nesta semana? Uma dor ou um sofrimento? Remédios que usa para manter a saúde? Seu primeiro cabelo branco? Alguma outra coisa? Como se sente quando se vê diante desses pequenos lembretes?

O CÉU NÃO PODE ESPERAR

Deus colocou você nesta terra por uma razão, e ele tem um plano para sua vida, porém esta vida não é o fim. As Escrituras são bastante claras em relação a essa realidade. Um dia, você deixará de respirar, mas não deixará de viver. Você viverá para sempre na eternidade.

No momento seguinte a sua morte, você experimentará a maior celebração ou a maior separação de todos os tempos.

O céu e o inferno são lugares reais, e podemos decidir onde passaremos a eternidade. Deus poderia ter-nos criado como robôs, programados para amá-lo, servi-lo e segui-lo, mas não fez isso. Ele se arriscou ao máximo quando nos criou com esse poder chamado livre-arbítrio. Deus o ama tanto que morreu por você, mas deixa que você escolha se vai amá-lo ou não e se deseja ficar com ele por toda a eternidade.

Fomos planejados para estar em perfeito relacionamento com Deus. Fomos criados com uma saudade da realidade eterna de um lugar que está além de nossos maiores sonhos. Como diz o velho hino: "Aqui não é meu lugar". O céu é o lar de nosso coração, onde a festa de boas-vindas acontece indefinidamente. Mas também é um lugar de "não mais" — não mais lágrimas, dor, perda ou morte. "Ele lhes enxugará dos olhos toda lágrima, e não haverá mais morte, nem tristeza, nem choro, nem dor. Todas essas coisas passaram para sempre" (Ap 21.4).

As pessoas sempre pensam no céu como um lugar místico onde estaremos sentados nas nuvens. Temos um medo secreto de que ficaremos cansados desse lugar perfeito e enjoados da monotonia dos halos e das nuvens. Mas, se fosse assim, não seria o céu, certo? Não, a Bíblia diz que o céu é um lugar perfeito, cheio de aventura e entusiasmo.

A Bíblia fala sobre o céu e usa a linguagem humana para descrever o que é humanamente indescritível. Diz que haverá ruas de ouro e portões de pérolas. O lugar está repleto de valor e significado, de importância e propósito. Todos nós teremos trabalhos ali que nos proporcionarão a derradeira satisfação. Cristo está ali, de modo que experimentaremos mais compaixão e criatividade do que poderíamos sonhar. Teremos um corpo novo e perfeito. Estaremos reunidos de novo com nossa família, amigos e entes queridos que estão lá. Haverá tanta alegria, paz e esplendor ao nosso redor que nem podemos imaginar como será.

Se nosso desejo é experimentar o céu, então devemos viver cada momento aqui na terra preparados para a eternidade. Você não está realmente pronto para viver até que esteja pronto para morrer. Mas não precisa preocupar-se com isso. Você pode determinar seu destino neste exato momento, se é que ainda não o fez. Se você não tem certeza de que tem a vida eterna neste momento, se não está certo de que estará no céu um dia, pode finalizar este capítulo com essa certeza. "E este é o testemunho: Deus nos deu vida eterna, e essa vida está em seu Filho. Quem tem o Filho tem a vida; quem não tem o Filho de Deus não tem a vida" (1Jo 5.11-12). Basicamente, chegar ao céu tem a ver com quem você conhece. Se você conhece o Filho, você entra; se não conhece, não entra.

O céu é um lugar perfeito para pessoas perfeitas, mas o problema é que não somos perfeitos; todos nós pecamos. É por isso que Cristo veio para assumir nosso lugar, para que pudéssemos unir-nos a ele no céu um dia. Isso não significa que o merecêssemos ou que pudéssemos ganhá-lo com esforço, mas que Jesus abriu o caminho para nós. A Bíblia diz que, por causa daquilo que Cristo fez, somos amigos de Deus. Neste exato momento, você pode orar e pedir que Cristo entre em sua vida, perdoe a culpa e os pecados de seu passado e lhe dê um futuro no céu um dia. Você não precisa ter medo da eternidade. Deus o ama mais que você pode imaginar. É verdade. Você realmente não pode extrair o máximo de cada momento até saber que a eternidade está garantida. Esse conhecimento o liberta para desfrutar a vida e fazer diferença na vida de outras pessoas.

Vale a pena refletir

De acordo com uma pesquisa, 74% dos norte-americanos acreditam no céu e no inferno. Você acredita? Como descreveria cada um deles a um amigo ou a alguém a quem ama? O que definiu a ideia que tem desses lugares: livros, filmes, televisão, Bíblia, sermões, outra coisa?

GARANTIA ETERNA

Uma vez preparado para a eternidade, você passa a querer investir naquilo que durará para sempre. Sua perspectiva se transforma. Você começa a perceber que muito daquilo que valorizamos e em que nos concentramos é insignificante e sem sentido à luz da eternidade.

É comum vivermos como se fôssemos permanecer nesta terra para sempre. Pense nisso da seguinte maneira: digamos que você sai de férias e está hospedado num hotel onde planeja passar algumas semanas, mas não gostou do quarto, então chama seu próprio decorador. Decide investir muito dinheiro ali e muda o papel de parede, as cortinas, os quadros — enfim, o quarto inteiro. Decide comprar uma televisão de tela plana gigante e a pendura na parede. Fora do quarto, não gosta das plantas nem das flores, então contrata um jardineiro. O tempo passa, e você continua fazendo mudanças de acordo com seu gosto. Então, um dia, vai para casa.

É exatamente isso o que muitas pessoas fazem hoje na terra. Agimos como se fôssemos ficar aqui para sempre. Estamos nos concentrando em coisas que parecem de fato importantes para nós naquele momento, mas que, em última análise, não durarão. Nosso foco precisa ser redirecionado para as coisas que passarão pelo teste do tempo. Na realidade, existem apenas duas: a Palavra de Deus e as pessoas. A Bíblia diz que "o capim seca e as flores murcham, mas a palavra de nosso Deus permanece para sempre" (Is 40.8). Desse modo, quando você passa um tempo na Palavra de Deus — construindo seu caráter, tornando-se cada vez mais semelhante a Cristo, aprendendo os valores da Palavra de Deus e aplicando-os —, isso tudo dura para sempre, e você o leva para a eternidade. As pessoas são outro investimento eterno que se pode fazer. Elas vivem para sempre na eternidade; assim, sempre que você fizer diferença na vida delas, essa atitude durará para sempre. É por isso que os relacionamentos são a coisa mais importante da vida.

É muito comum nos concentrarmos nas coisas que simplesmente não duram. Leia Eclesiastes 11.7-8:

> A luz é doce; como é bom ver o nascer de um novo dia.
>
> Se você chegar à velhice, desfrute cada dia de sua vida. Lembre-se, porém, que haverá muitos dias sombrios. Nada do que ainda está por vir faz sentido.

Não importa quanto tempo tenhamos para viver, ele será apenas alguns segundos no grande escopo da eternidade.

O que você faz com Jesus Cristo determina onde você passará a eternidade. O que você faz com seu tempo, talentos e bens determina as recompensas que receberá na eternidade. Você se lembra de um jogo chamado "Jogo da Vida"? O jogador tinha de escolher uma carreira e um estilo de vida. No final do jogo, havia o dia de ajuste de contas, quando suas escolhas eram avaliadas. Isso não está muito longe da maneira como seremos responsabilizados por nossas decisões. O que você faz com seu traço de tempo aqui nesta terra vai prepará-lo para a eternidade. Para você, a vida só fará sentido quando entender que ela é uma preparação para a eternidade.

Jess Moody era um jovem pastor em Owensborough, Kentucky, e tornou-se grande amigo de um casal da igreja. Certo dia, o marido foi ao gabinete do pastor Moody claramente perturbado e disse:

— Jess, acabei de ouvir uma notícia terrível. Minha esposa está com câncer generalizado e está em fase terminal. Os médicos disseram que ela tem apenas algumas semanas de vida, nem mesmo meses. Jess, ela está no hospital e pediu que você vá visitá-la. Não sabemos como lidar com isso, não sabemos o que fazer.

Jess foi imediatamente ao hospital. Ali, a jovem esposa e mãe disse ao pastor:

— Lembro-me de um de seus sermões, quando disse que mil anos são como um dia para Deus e que um dia são como mil anos. Isso é verdade? Os mil anos são realmente como um dia para Deus? — ela perguntou.

— Sim, isso está na Bíblia — o pastor respondeu.

— Que bom — ela disse — porque andei fazendo as contas e descobri que, se mil anos são como um dia, quarenta equivalem a cerca de uma hora. Deixarei meu esposo e meus filhos em breve. Ele pode viver outros quarenta anos, mas isso será como apenas uma hora para mim no céu. Quando ele chegar ao céu, vou dar-lhe as boas-vindas dizendo: "Onde você esteve na última hora? Você foi só para o escritório ou foi fazer compras? Senti sua falta". Meus filhos podem viver outros setenta ou oitenta anos, mas esse tempo será como apenas duas horas para mim. Então, quando chegarem ao céu, eu os receberei dizendo: "Como foi a aula hoje? Mamãe sentiu falta de vocês enquanto estavam fora. Fiquei pensando em como vocês estavam, porque as mães não gostam de ficar longe dos filhos por muito tempo".

Duas semanas depois, Jess Moody disse que ela partiu para estar com o Senhor, e a última coisa que disse ao marido foi:

"Eu amo você. Cuide dos meus filhos. Vejo você daqui a uma hora". Isso é uma perspectiva eterna. Essa é a real perspectiva que nos pode motivar a viver o estilo de vida de um mês para viver nos anos que se seguem.

PARA A VIDA TODA

1. Passe um tempo pensando em como você imagina o céu. Faça uma pintura, tire uma fotografia, faça uma colagem com recortes de revista ou uma escultura que represente o céu para você. Faça algo pessoal. Coloque a representação num lugar que possa lembrá-lo de onde você deseja passar a eternidade.
2. Em seu diário ou em algum lugar seguro, descreva uma cena em que se imagina vendo Deus no céu pela primeira vez. O que você gostaria de lhe dizer? O que perguntaria? O que gostaria que ele dissesse? Passe algum tempo em oração, compartilhando seus pensamentos com aquele que o ama acima de tudo.
3. Que investimento eterno você fez nesta semana? Quanto tempo passou envolvido com a Palavra de Deus? Por quanto tempo conectou-se com pessoas de maneiras significativas? Estabeleça um objetivo eterno para si mesmo — alguma coisa que você queira fazer e que passe pelo teste do tempo, alguém em quem queria investir — e encontre tempo para perseguir esse objetivo na semana que vem.

Dia 30

Início de jogo

Vivendo a vida

Aqui está o teste para descobrir se sua missão na vida está terminada: se você estiver vivo, ela não acabou.

Richard Bach

Embora ninguém possa voltar e começar do zero outra vez, qualquer um pode começar agora e ter um final inédito.

Carl Bard

Neste último capítulo de nossa investigação sobre o estilo de vida de um mês para viver, você já sabe que seu tempo *não* acabou. Se Deus quiser, você vai viver por muitos e muitos meses, anos ou décadas, desfrutando a vida ao máximo, para sempre transformado por ter aceitado a pessoa que Deus o criou para ser e sua busca apaixonada por sua realização.

Em suma, essa é a premissa do livro. Você recebeu um presente extraordinário: sua vida. Tem um chamado excepcional: ser a melhor versão de você mesmo. Seu objetivo é abrir esse presente e usar tudo o que lhe foi concedido na busca daquilo que mais importa: amar tanto a Deus quanto as pessoas.

JOGO DA PAIXÃO

Ao concluirmos juntos a jornada destas páginas, quero oferecer-lhe uma última palavra. Se eu tivesse como limite apenas uma realização com este livro, gostaria que fosse acender e restaurar a paixão em sua vida. Se você tivesse apenas um mês para viver, certamente gostaria de desfrutar cada momento como o presente precioso que é. E gostaria de fazer cada segundo valer a pena e ser algo significativo e eterno, algo que cumpra seu propósito nesta terra. A paixão é o combustível para sustentar a longo prazo o estilo de vida de um mês para viver.

Nada realmente grande acontece sem paixão. A força motriz por trás de toda obra de arte, toda música comovente, toda obra literária importante, todo drama poderoso, toda arquitetura surpreendente é a paixão. A paixão impele atletas a quebrar recordes; impulsiona cientistas a descobrir cura para doenças. Ela nos leva a compartilhar o amor de Deus de maneiras criativas e inovadoras com aqueles que estão ao nosso redor. A paixão dá vida à vida.

Deus deseja que vivamos de maneira apaixonada. "Ame o Senhor, seu Deus, de todo o seu coração, de toda a sua alma, de toda a sua mente e de todas as suas forças" (Mc 12.30). Fomos criados com a capacidade da paixão porque Deus é um Deus apaixonado, e fomos criados à sua imagem. Já ouvimos a ordem: "Jamais sejam preguiçosos, mas trabalhem com dedicação e sirvam ao Senhor com entusiasmo" (Rm 12.11). A expressão "com dedicação" passa a ideia de que um dia podemos deixar de agir assim. Se não enfatizarmos essa questão, o estresse e as pressões da vida podem nos roubar a paixão por nossa família, amigos e carreira.

UMA VIDA PARA VIVER

Com o objetivo de manter a paixão viva e em crescimento, devemos certificar-nos de alimentá-la com quatro ingredientes principais. O primeiro é o mais importante: amor. O amor é o alicerce de uma vida apaixonada e com propósitos. O combustível que inflama a paixão no casamento e coloca em ação a produtividade no trabalho é o amor; é ele que nos mantém crescendo em nosso relacionamento com Deus. Nenhuma obrigação ou obediência legalista, mas o amor.

E se você não se sentir tão apaixonado por Deus quanto era antes, se não tiver o fervor espiritual que um dia teve? Será preciso voltar a realizar as coisas que fazia quando se apaixonou por Deus. O que você fazia? Passava tempo com ele. Estava muito animado com sua Bíblia e ansioso por aprender o que significava amar a Deus. Você contava a todo mundo o que estava acontecendo em sua vida. Dizia a seus amigos o que Deus estava fazendo em você. É preciso voltar a fazer essas coisas se quiser apaixonar-se por Deus novamente. Se seu desejo é reacender a paixão pela vida, concentre-se no amor de Deus por você.

O segundo ingrediente essencial de uma vida apaixonada é a integridade. Embora haja diversas definições para esse termo, integridade significa unir aquilo em que acreditamos à maneira como vivemos. A falta de integridade, assim como a cobiça, destrói a paixão na vida. Nada corrói mais a paixão que dizer que acreditamos em alguma coisa e não a vivemos. Quando dizemos que nossa saúde é importante, mas sempre nos alimentamos mal, perdemos integridade; se dizemos que a família é importante, mas estamos sempre no trabalho e ausentes, desanimamos; se dizemos que amamos a Deus como fundamento de nossa vida, mas não nos relacionamos com ele diariamente, sofremos. Nosso coração fica dividido e perdemos o foco principal da vida. Se você quer viver com paixão, tenha uma vida coerente e aja de acordo com o que acredita ser verdadeiro.

O terceiro elemento essencial para sustentar a paixão é o perdão. Em cada uma das quatro seções deste livro, o perdão surgiu, de uma forma ou de outra, como parte vital do estilo de vida de um mês para viver. Nada prejudica mais a paixão que conflitos não resolvidos. O texto de Jó 5.2 nos diz: "O ressentimento destrói o insensato, e a inveja mata o tolo". Tanto o ressentimento quanto a inveja roubarão a paixão da vida mais rápido que qualquer outra coisa.

O ressentimento é o grande assassino da paixão. É por isso que Deus diz que devemos aprender a perdoar uns aos outros. Se você quer voltar a ter paixão na vida, precisa aprender a perdoar as pessoas. Quando carregamos ressentimento, amargura e dor, nossa vida se corrói. As pessoas que nos machucaram não sofrem nenhuma consequência. Não estamos nos vingando. Essas emoções negativas simplesmente nos ferem e extraem a paixão de nossa vida. Jesus é o grande exemplo para nós aqui, como sempre. O que ele disse quando estava na cruz? "Pai, perdoa-lhes, pois não sabem o que fazem" (Lc 23.34). Ele perdoou aqueles que o estavam crucificando. Ninguém perdoou mais que Jesus Cristo. Ele foi a pessoa mais apaixonada do mundo, porque foi a que mais perdoou.

Por fim, precisamos de entusiasmo para manter a paixão na vida. A palavra entusiasmo vem de duas palavras gregas: *en* e *theos*. *Theos* é a palavra grega para "Deus", e *en* significa simplesmente "dentro", de modo que "entusiasmo" significa literalmente "Deus dentro". Se você quer viver cada dia como se fosse o último, concentre-se em seu relacionamento com Deus. Se tem dificuldades com a paixão em sua vida, talvez não esteja cultivando seu relacionamento com ele no nível para o qual você foi criado. Temos uma fome espiritual interna que nunca será satisfeita até que descansemos em Deus. Podemos procurar todo tipo de coisa para nos preencher e trazer felicidade, mas somente Deus pode satisfazer-nos. Se quisermos viver o resto da vida como se tivéssemos apenas mais um mês pela frente, nosso desejo será saber que Deus está dentro de nós, nos detalhes de cada dia. Vamos querer experimentar a intimidade do amor que ele tem por nós e compartilhar esse amor com os que estão perto de nós.

Amor. Integridade. Perdão. Entusiasmo. *Vida*. A vida apaixonada, a única que recebemos para viver. Significa viver com essa paixão, de maneira plena e sem comodismo. Significa viver apaixonadamente, amar completamente, aprender humildemente e partir corajosamente. Se você tivesse apenas um mês para viver, não é assim que gostaria de viver, sabendo que extraiu o valor de cada segundo da vida, desfrutando a vida abundante (não a vida segura, tranquila e confortável) que Deus nos prometeu?

NOSSO EXEMPLO

Quando penso na vida de Jesus, vejo alguém que sabia viver. O fato é que Jesus sabia quanto tempo ainda tinha. Ele viveu de acordo com esses quatro princípios que analisamos. Primeiro, viveu apaixonadamente. De fato, chamamos o final de sua vida na terra de "a paixão de Cristo". Ele viveu sua vida de forma plena, voltada para seu Pai e para fazer diferença no mundo. Jesus foi a pessoa mais apaixonada que já viveu, e ele quer que tenhamos a mesma paixão. Em João 10.10 ele diz: "Eu vim para lhes dar vida, uma vida plena, que satisfaz".

Jesus quer que tenhamos a vida plena que ele tem para nós. Há algum tempo compareci ao funeral de uma senhora muito querida de nossa igreja. Ela estava com mais de noventa anos quando foi para o Senhor. Todos os presentes disseram que ela teve uma vida boa e completa. Existe uma grande diferença entre uma vida boa e uma completa. Talvez você esteja vivendo uma vida completa — cheia de atividades, estresse e ansiedade. Mas aqui se trata de uma vida plenamente boa. Essa mulher viveu uma vida cheia de compaixão, e isso é uma vida boa e completa.

Jesus também amou completamente. Lemos em João 13.1: "Jesus sabia que havia chegado sua hora de deixar este mundo e voltar para o Pai. Ele tinha amado seus discípulos durante seu ministério na terra, e os amou até o fim". Portanto, o que Jesus fez quando soube quanto tempo tinha para viver? Ele amou completamente aqueles que o cercavam. Concentrou-se nos relacionamentos mais importantes: a relação com seus discípulos. Podemos seguir o exemplo de Jesus quando nos concentramos com energia nos relacionamentos mais importantes de nossa vida. Fico sempre impressionado com o grau de intencionalidade que precisei derramar nos relacionamentos com minha família para de fato conectar-me a ela. É preciso ter a intenção de se dedicar todos os dias a seus filhos, ao cônjuge e a todos os demais relacionamentos importantes para que eles se desenvolvam.

O terceiro princípio do estilo de vida de um mês para viver é aprender humildemente, e Jesus foi nosso maior exemplo de humildade. Lemos em Filipenses 2.8: "[Jesus] humilhou-se e foi obediente até a morte, e morte de cruz". Jesus era Deus e, ainda assim, humilhou-se, revestindo-se de carne humana e tornando-se um de nós para que pudéssemos conhecer a Deus.

O quarto princípio é partir corajosamente, e mais uma vez Jesus é nosso maior exemplo, uma vez que deixou um legado eterno na terra. Ele abriu mão com coragem e voltou para seu Pai. Estava pronto para ir. Lemos em Lucas 9.51: "Como se aproximava o tempo de ser elevado ao céu, Jesus partiu com determinação para Jerusalém". Jesus foi para a cruz com coragem. Foi resoluto em sua decisão de ir para a cruz por causa de seu amor por nós. Podemos também deixar um legado de coragem na terra e passar nossos dias em algo que vai durar mais do que nós.

Quando minha mãe tinha a idade que tenho hoje, descobriu que tinha câncer. Logo lhe disseram que teria apenas mais um mês. Mas a beleza desse momento foi que ela não precisou mudar nada. Desde o dia em que ouviu essas palavras, continuou a viver da mesma maneira. Por quê? Porque sempre tinha vivido de maneira intencional. Ela amava as pessoas de sua vida de maneira completa; fazia o que precisava fazer. Não havia coisas não ditas que precisava dizer. Assim, quando descobriu que tinha um mês para viver, foi capaz de continuar pelo mesmo caminho. Meu objetivo para você e para mim é que vivamos intencionalmente de modo que não tenhamos arrependimentos. Oro para que, quando você e eu chegarmos ao nosso último dia na terra, tenhamos a certeza de ter vivido de maneira completa a vida para a qual fomos criados.

Um dos mistérios da vida é que nenhum de nós sabe quando vai morrer. Mas nossa morte é um fato. "Estabeleceste a extensão de nossa vida; sabes quantos meses viveremos, e não recebemos nem um dia a mais" (Jó 14.5). Se estivermos dispostos a aceitar isso e a confiar a Deus o ponto final de nosso tempo na terra, poderemos concentrar-nos em como vamos preencher o traço entre o ano de nosso nascimento e o ano de nossa morte. Podemos transformar esse traço numa incrível aventura de descoberta, alegria e contentamento significativo. Podemos *viver*.

Minha esperança é que este livro tenha mudado sua vida, que o tenha feito pensar no significado de viver apaixonadamente e com propósito. Minha oração por você é que Deus venha a usar tudo o que há de verdadeiro nestas páginas para inspirá-lo a atingir um novo nível de vida. Meu desafio a você é viver cada dia como se tivesse apenas um mês para viver!

PARA A VIDA TODA

1. Agora que você completou o desafio de um mês para viver, quero incentivá-lo a permanecer nesse estilo de vida. Continue buscando incentivo e inspiração para colocar em prática os quatro princípios desse estilo de vida.
2. Assim que possível, planeje um dia em que possa sair sozinho para refletir sobre sua experiência de ler este livro. Transforme esse dia em uma avaliação do estilo de vida de um mês para viver. Reveja todas as respostas, pensamentos e sentimentos que teve durante a leitura deste livro. O que lhe causou maior impacto durante este mês? Por quê? De que modo você mudou com a leitura deste livro e a aplicação dele à sua vida?
3. Reúna-se com um amigo e compartilhe sua experiência durante os trinta dias que se passaram. Pergunte o que essa pessoa faria se soubesse que tem apenas um mês para viver.

Compartilhe suas impressões de leitura,
mencionando o título da obra, pelo e-mail
opiniao-do-leitor@mundocristao.com.br
ou por nossas redes sociais

Esta obra foi composta com tipografia Adobe Caslon Pro e Europa
e impressa em papel Pólen Natural 70 g/m² na gráfica Imprensa da Fé